MANUAL DE CAPACITACIÓN PARA LÍDERES DE CÉLULAS

Dedicatoria

El Señor está levantando
alrededor del mundo
a miles de personas dispuestas a
tomar con responsabilidad
la Gran Comisión.
Este libro está dedicado a ellas,
líderes cristianos como usted,
con dones y con voluntad de trabajar.
Disfrútelo y practíquelo.

Marino Miguel Muñoz

MANUAL DE CAPACITACIÓN PARA LÍDERES DE CÉLULAS

Editorial CLIE
Galvani, 113
08224 TERRASSA (Barcelona)

MANUAL DE CAPACITACIÓN PARA LÍDERES DE CÉLULAS

Depósito Legal: B. 21.644 - 00
ISBN 84-8267-139-1

Impreso en los Talleres Gráficos de la M.C.E. Horeb,
E.R. nº 2.910 SE. –Polígono Industrial Can Trias,
c/Ramón Llull, 20– 08232 VILADECAVALLS (Barcelona)

Printed in Spain

Clasifíquese: 500 IGLECRECIMIENTO - Métodos y estrategias
C.T.C. 01-06-0500-19
Referencia: 22.41.92

AGRADECIMIENTOS

No se puede escribir un libro sin tener a quién agradecer. Muchas personas han contribuido de distintas formas para que este material esté impreso.

Debo agradecer primeramente a Dios, quien me ha posibilitado «la visión», aunque creo todavía es en pocos grados, de lo que es el Cuerpo de Cristo, Su Iglesia y Su poderoso evangelio del reino de Dios. Para mí esto resultó tan «*Imponente como ejércitos en orden*», Cantar de los Cantares 6:4 (de ahí el título de este libro).

Debo agradecer a mis padres, Miguel Ángel e Ilda Febe, quienes me han mostrado a Cristo en sus vidas y a través de sus ejemplos e instrucciones me han otorgado la enorme bendición, la más grande de mi vida, de ser participante de esta gracia y ser por ello incluido en este reino de los siglos, inalterable e inamovible, como lo es el reino de Cristo. Ellos me han formado con tierno amor y cuidado, siendo los responsables de posibilitar el crecimiento y desarrollo de mi fe.

Debo agradecer a mi esposa Erica, quien me ha permitido estar sobre una máquina de escribir o computadora muchas horas, miles, incluidas muchas noches enteras, porque este no es el único libro, en realidad es el último que terminé y el primero en ver la luz. Ella me animó siempre, apoyó y alentó con amor. Hemos formado equipo para revisar, corregir y terminar este material. Es de su invención el breve estudio sobre Proverbios (que no resultó breve), pues yo hice sólo la asociación de versículos afines dentro de cada capítulo a manera de guía y ella lo ha desarrollado con preguntas y afirmaciones. Nos hemos encontrado con la tremenda riqueza del libro de Proverbios por la sugerencia de una profesora de seminario que nos alentó a leer diariamente el capítulo que corresponde a cada día del mes. Como son 31 los capítulos todos los días leíamos uno, y así por meses.

Debo reconocer la tremenda influencia que han ejercido sobre mi vida espiritual mis abuelos Marino y Lidia, que ya están con el Señor, ambos siervos de Jesucristo y campeones de la fe. Sus vidas y recuerdos han sido y son un constante aliciente para trabajar a favor del reino de Dios. Los dos son dignos de imitar en todo. Han desarrollado conjuntamente el ministerio apostólico de manera integral, según lo que explico en el capítulo XIV de este libro. Lo que más me ha impactado siempre de ellos fue su absoluta e incondicional entrega al Señor. De los dos hago alguna mención dentro de este libro pero creo que con todo no puedo transmitir lo que ellos representan para mí.

Debo agradecer a nuestra amiga Sara por sus sugerencias y correcciones.

Agradezco también a nuestro pastor Rubén Ruiz y Alicia su esposa, ellos fueron quienes vieron por primera vez este libro en limpio y no han cesado de apoyarme y alentarme compartiéndome su alegría por ver el propósito de Dios detrás de esto; y no sólo eso, sino que me animaron siempre para que capacite a los líderes de su iglesia. En sus corazones ya estaba el germen de la iglesia de células y no hemos hecho más que unirnos en este aspecto y estamos trabajando para levantar una buena cosecha.

He recibido inspiración de cada una de las personas que llevé al Señor, de cada familia a la que Dios me ha dado la posibilidad de presentarles a Cristo y hoy están en su reino. Ellos nunca supieron la bendición que significaron para mí, pero aquí va mi agradecimiento para cada uno de ellos.

Muchas gracias a todos.

Índice

Prólogo

Estoy totalmente seguro de que todos los Ministros y Siervos que amamos al SEÑOR y su Obra, estamos preocupados por el crecimiento y progreso de nuestras Congregaciones; y en este deseo desesperado, hemos buscado fórmulas y filosofías de «Crecimiento de Iglesia», que bien ideadas e intencionadas, no han sido del todo bíblicas y mucho menos efectivas para el tan anhelado progreso del Evangelio.

Pero aquí contenido en este material impreso, trabajado con una gran visión y con Biblia en mano, tenemos la fórmula bíblica, que DIOS siempre tuvo en su corazón, para que su Iglesia sea efectiva y exitosa para ganar a los perdidos.

La Biblia nos ordena: «Por tanto ***id*** *y haced discípulos»; el imperativo «****id****» es fundamental para la Iglesia, debemos salir de nuestros templos y estructuras internas de organización de ir al mundo, donde están los que realmente necesitan de CRISTO, y como lo indica este material de Capacitación –y el libro de los Hechos lo corrobora–, las reuniones caseras (o células) son la clave evangelística para ir a alcanzar a los perdidos.*

Con este programa de capacitación, usted y su iglesia pueden ser movilizazdos para llevar a cabo, con éxito, este desafío y responsabilidad inalterable para la Iglesia. Se lo recomiendo, porque es fundamentado sólo en la Biblia, y si es bíblico no puede fracasar.

RUBÉN A. RUIZ
Pastor de la Unión Evangélica Argentina
Ministerio Evangelístico Palabra de Vida

Introducción

Este libro no surge solamente de un estudio exhaustivo en lo que concierne al evangelismo de grupos. Tampoco surge detrás de un escritorio, sino de la práctica ejercitada durante varios años, un poco más de una década.

En todo ese tiempo he analizado distintos enfoques de la dinámica de grupos; unos organizados, otros no, lo que no tuve en cuenta fue lo valioso que era esa práctica que llegó a ser mi forma preferida para la prédica del evangelio.

Creo firmemente que estas páginas le dirán algo más de lo que usted ya conoce al respecto, simplemente porque traté de volcar la esencia de la práctica y la experiencia.

Es mi deseo también que este libro no sólo satisfaga una curiosidad sobre el evangelismo por células, sino que haga crecer en usted la necesidad de cumplir con el mandato de ir y hacer discípulos, dejado por nuestro Señor Jesucristo y asumir tal responsabilidad.

El mundo está enfermo por el pecado y la maldad; nosotros tenemos el remedio: CRISTO. Las células son el medio bíblico, efectivo, permanente y en constante expansión que posibilita llegar con el evangelio a más y más personas en el mundo.

En el año 1984 me trasladé junto a mi familia desde la Provincia de Tucumán a la de Salta para predicar el evangelio; aún no sabía que el propósito de Dios era que le sirviera como evangelista.

Por ese año debía cursar el quinto año de la escuela secundaria. Pasaron casi cuatro semanas desde que comencé a asistir a clases, para recién tener una conversación fluida con los compañeros de curso. En uno de los pupitres descubrí una Biblia, fue así que comencé a conversar sobre las cosas de Dios con la dueña de la misma. Ella pertenecía a la secta Moon y me invitó a escuchar unas conferencias. Fue después de la tercera conferencia, cuyo debate nos llevó casi seis horas con el líder, que pude invitarla a un culto en el templo y allí el Señor tocó su corazón. Casi seis años después me casé con Erica, la dueña de la Biblia sobre el pupitre, con quien Dios me ha dado un hermoso matrimonio y tres preciosos hijos.

Juntos hemos descubierto el tremendo alcance de las células por las casas. También aplicada a grupos de adolescentes y jóvenes en las iglesias con altísimo grado de efectividad; y lo atribuyo a que es una práctica bíblica probada. Los integrantes de estos grupos no solamente se entregan a Cristo de veras, sino que sus vidas espirituales crecen hasta dar frutos hermosos.

En el año 1987 me propuse buscar en Dios una respuesta de cómo hacer para predicar el evangelio masivamente pero que a su vez dé continuidad y seguimiento a los alcanzados. Una mañana, el libro de los Hechos de los Apóstoles empezó a desvelarse para mí. Casi podía ver debajo de cada letra la vida espiritual de aquellos hermanos que fluía como un río. Tenía la impresión de ver a nuestros hermanos yendo casa por casa para ministrar al Señor, compartiendo el pan, bendiciéndose unos a otros. El relato del libro de los Hechos hizo que naciera en mí la concepción de cuerpo de Cristo constituido por células. Aunque ya estaba haciendo la práctica de buena parte de este trabajo, recién con la palabra de Dios llegó una idea acabada y completa del alcance, la bendición y los resultados esperables por esta práctica bíblica de la prédica del evangelio de Cristo.

Debo confesar que todavía no había tenido el gusto de leer ningún libro, ni saber de la existencia del pastor Cho en Corea y su destacado ministerio por las casas. Luego, cuando llegaron a mis manos los libros, solamente pude dar gloria a Dios por su misericordia para conmigo, al darme una visión tan amplia y completa del accionar de la iglesia como cuerpo a través de esta práctica. No pude menos que gozarme tremendamente como lo hago hasta el presente. Tengo que admitir además que lo que pasa actualmente en Corea, en la iglesia más grande del mundo, me beneficia sobremanera porque NADIE SE TOMARÁ EL TRABAJO DE CONTRADECIRME. NADIE PUEDE DECIRME QUE ESTA PRÁCTICA BÍBLICA ERA APLICABLE SOLAMENTE A NUESTROS HERMANOS DE HECHOS DE LOS APÓSTOLES.

En el año 1987 comencé a poner en papel todo lo que había en mí con respecto a las células, empecé a desarrollar las secuencias de las reuniones que componen «La Guía de reuniones de células». Pasé las primeras cincuenta reuniones desarrolladas con temas específicos y me di cuenta que necesitaban una buena explicación de cómo hacerlas, porque de la persona que desarrolla la reunión depende el éxito de su aplicación.

Ya corría el año 1992 y recién me di cuenta de la necesidad e importancia real del líder de célula, por ser quien posibilita el nacimiento, crecimiento y desarrollo de esta forma bíblica de predicar el evangelio. Desde entonces es que el Señor me ha tenido trabajando, porque he tenido que practicar cada consejo que doy a los líderes sobre este tema, para poder escribir cómo debe ser la persona que tiene a su cargo esta responsabilidad en el reino de Dios.

El Señor me dijo:

No pasará mucho tiempo antes que el evangelio por las casas deje de ser una opción para convertirse en una imperiosa necesidad.

Noche del
10 de Diciembre de 1996.

Capítulo I (*)

EL PRINCIPIO DE CUERPO

La evangelización tiende a tomar una de dos formas; ya sea proclamación en masa o testimonio personal. Ambas son buenas, pero representan sólo una fracción de lo que realmente debe estar sucediendo. Ambos enfoques tienden a excluir a la mayoría de los cristianos. La proclamación en masa puede fácilmente quitar al individuo su responsabilidad de capacitarse como testigo, mientras, por otro lado, cuando de evangelizar personalmente se trata, por lo general al cristiano se le abandona y tiene que aprender sin ayuda. Y muchos cristianos no se sienten dotados para dar testimonio personal.

Cuando de ganar a los perdidos se trata, lo que con frecuencia hacemos es distribuir unas pocas herramientas, dirigir ocasionalmente un breve asalto evangelizador, exhortar y lograr, en general, que a todo el mundo le remuerda la conciencia. ¿No hay alguna manera en

---

(*) A continuación transcribo tres capítulos del libro *Evangelización: Un estilo de Vida*, de Jim Peterson, que considero excelentes para desarrollar un profundo análisis de este tema.

que el creyente promedio se dedique a la evangelización en una forma más permanente y realista?

La verdad arrasadora en el Nuevo Testamento con respecto a la iglesia es el hecho de que es un cuerpo, un organismo vivo cuyos miembros deben existir en un estado constante de interdependencia (vea 1 Corintios 12; Efesios 4 y Romanos 12). Si hemos de aplicar esta verdad seguramente la aplicaremos a la evangelización.

Mucho se ha escrito y enseñado acerca de descubrir y ejercitar los dones espirituales. Por lo general, la pregunta: ¿Cuál es mi don?, es difícil. ¿Sobre qué base puedo responder? Es mejor pregunta: ¿Qué puedo hacer? Todos podemos contestar. Es en el hacer lo que podemos que encontramos la respuesta a la primera pregunta. ¡Descubrimos nuestros dones en acción!

Ha oído decir a alguien: «¿Evangelizar no es mi don?» Técnicamente, tal cosa no existe. Nadie posee el don de la evangelización. Algunos, sin embargo, poseen dones que los hacen muy efectivos evangelizadores. 1 Corintios 12:4-6 describe distintos tipos de servicios y diferentes tipos de dones.

Cuando empezamos a ver la evangelización como ministerio corporativo, pronto descubrimos que en realidad cualquier don espiritual que edifica al cuerpo, tiene su lugar en ganar al perdido. Esto es porque no podemos separar ganar a los perdidos de la edificación del cuerpo. Uno no puede existir sin el otro. Evangelización, como una función del cuerpo, sucede cuando un puñado de discípulos se juntan y unen sus habilidades y recursos para alcanzar al mundo con su mensaje. Bajo estas circunstancias, todos los dones representados pueden ser aprovechados. Cualquier cosa que le es natural a usted, cocinar, conocimiento bíblico, enseñanza, sea lo que fuere que puede usted hacer es útil en la evangelización. Su don, sus habilidades, puntos fuertes e intereses, pueden edificar al cuerpo y construir puentes de comunicación con los no creyentes. Empiece con lo que tiene. Al ir usando lo que tiene con el correr del tiempo adquirirá habilidades que ahora no tiene.

Efesios 4:11-12 indica claramente que la función de los líderes (apóstoles, profetas, evangelizadores, pastores y maestros) es preparar al pueblo de Dios para el ministerio. Necesitamos comprender que el ministerio es la responsabilidad de todo cristiano. No hay lugar para espectadores porque cualquier don que uno tenga es importante cuando se usa en conjunto con otros dones. Entonces comenzamos a ver que suceden cosas que de otra manera resultan imposibles. La evangelización no se limita a los que se especializan en la proclamación del evangelio. Logramos unidos, resultados que nunca podríamos haber logrado actuando solos.

Quizás la aplicación más sencilla de lo que estamos hablando es el estudio bíblico en casa de familia. ¿Qué requiere? Que uno sea un vecino considerado. Significa ofrecer la casa. Involucra invitar a la gente sabiendo sus intereses y necesidades. Alguien necesita sentirse responsable de mantener la existencia del grupo y de que siga adelante. Cuando llega a ser demasiado grande, alguien necesita ver que es tiempo de dividirlo y empezar un grupo evangelizador nuevo. ¡Y eso es todo! Imagínese qué sucedería si todos nos comprometiéramos en un esfuerzo de esta índole.

Lo que acabamos de describir se parece a la forma básica en que funcionaba la Iglesia durante los primeros trescientos años de su historia. Perseguidos, los cristianos no podían trabajar abiertamente. No había templos. Dependían de los hogares y otros edificios (vea Romanos 15:16). Me pregunto si la Iglesia no perdió algo esencial a su naturaleza cuando la sacamos de los hogares y los lugares de negocios y la empezamos a poner en edificios especialmente diseñados para ellas. Con ellos desapareció la demanda insaciable de capacitación de liderazgo que esos núcleos producían. Cuando las rutinas estaban establecidas, al cristiano promedio se le quitó el peso de responsabilidad. Pero necesitamos más presiones.

EL PROPÓSITO DE LA IGLESIA ES SER MÁS UNA FUERZA GUERRILLERA QUE UNA FORTALEZA INAMOVIBLE.

Somos individualmente responsables ante Dios en el uso de cualquier habilidad o recurso que tenemos para ganar al perdido. Esto no significa que la evangelización sea un ejercicio individual. La evangelización es también un esfuerzo de grupo. Muy pocos de nosotros podemos cumplir nuestra parte en este ministerio a menos que nos agrupemos y mancomunemos nuestros recursos con unos pocos espíritus afines para lograr el objetivo común de testificar como cuerpo de creyentes, por medio de participar activamente en las vidas de algunos amigos no creyentes.

La tendencia a aislarnos
Cuando separación es aislamiento

«Si eres parte de la subcultura evangélica, ésta es toda tu vida... Vas al templo, compras libros religiosos, miras los programas de televisión. Si no eres parte de la subcultura, ni sabes que existe», según Martín Marty, profesor de divinidad en la Universidad de Chicago, en un articulo titulado «Religión Añeja».

Este artículo enfatiza el grado en que los cristianos evangélicos se han aislado del mundo que los rodea. Los subtítulos revelen conclusiones del reportero:

- Un avivamiento evangélico se extiende por toda la Nación pero con poco efecto.

- Despreciando al Mundo pecador.
- El efecto ha sido mínimo.
- Escapando del compromiso.

El reportero de dicha publicación, Jonathan Kauffman escribe: «El avivamiento evangélico actual, hasta ahora ha cosechado poco más que curiosidad de parte de los no creyentes... el movimiento ha afectado a la sociedad norteamericana mucho menos que el Gran Despertamiento de los años medios del siglo XVII». También destaca que «la tendencia histórica de los evangélicos es escapar de cualquier compromiso con el mundo secular y pecador».

La distancia entre la Iglesia y el mundo es algo que comencé a notar en mis primeras experiencias en Brasil. Poco después que Osvaldo (un estudiante brasileño que no se impresionó para nada con mi presentación del evangelio que duró dos horas) aceptó al Señor, lo invitamos a mudarse a nuestra casa. Se quedó con nosotros por tres años. Mientras nosotros le enseñábamos todo lo posible acerca de seguir a Dios y obedecer las Escrituras, él nos enseñó el idioma y cultura brasileñas. Nos beneficiamos mutuamente.

Al aumentar el amor de Osvaldo por el Señor, nuestra relación se hizo más cercana. Pronto le consideré como un amigo fiel. Al observar este adelanto, decidí que era tiempo de que nos acompañara al culto. Era la primera experiencia de Osvaldo con el protestantismo. Todo parecía andar bien, nunca comentaba lo que pensaba, pero siempre nos acompañaba. Sin embargo, empecé a observar que en él había una lucha.

Cierto domingo, cuando regresábamos a casa caminando, le dije: «Osvaldo, en realidad no te gusta ir a las reuniones de la iglesia ¿verdad?» ¡Esto abrió la puerta! Empezaron las preguntas: «¿Por qué cantan así?» «¿Por qué en formas tan raras?» «¿Por qué cambian de voz cuando oran?» etc., etc. Sus preguntas eran sinceras; sólo buscaba respuestas, pero me irritaron. Y me irritaron mis intentos de contestar, porque no lo pude hacer bien.

El incidente pasó, pero las preguntas de Osvaldo me quedaron grabadas; por ellas comencé a ver los cultos a través de los ojos de afuera. Tuve que admitir que existían problemas de comunicación insuperables por ambas partes. El de afuera nunca puede sentirse cómodo hasta no ceder a una serie de modificaciones en sus costumbres y en su estilo de vida. Y la congregación no estaba dispuesta a brindarle su compañerismo hasta que no se hiciera evidente que el cambio se estaba produciendo.

A veces es posible para un nuevo creyente aceptar este proceso y sujetarse a los cambios. No es difícil encontrar ejemplos que lo prueben. Pero aun las transiciones que han tenido éxito son victorias dudosas del nuevo cristiano con su grupo anterior.

Esto es difícil de reconocer, pero la persona secularizada que acepta a Cristo muchas veces no tiene a dónde ir. Él y muchas de nuestras iglesias están separados culturalmente. Esto es más verdad aún para las personas del mundo no alcanzado que viven en culturas totalmente diferentes.

Y no soy el único en llegar a esta conclusión. El autor Ralph Winter pregunta: «¿Estamos... preparados para considerar el hecho de que la mayoría de los no cristianos que serán ganados para Cristo (aun en nuestro propio país) no congenian con el tipo de iglesias que ahora tenemos?»

Son varias las razones por las cuales existe esta distancia entre la Iglesia y el mundo. Sería de más considerarlas. Algunas de las razones son positivas, otras negativas. Lo que sí nos interesa aquí es el hecho de que Jesucristo ha enviado a la Iglesia al mundo, y por esta razón no podemos perder contacto con los que viven en el mundo.

Cuando Jesús compartió con Su Padre sus ambiciones para la Iglesia antes de su muerte, dijo: «*Y ya no estoy en el mundo; mas éstos están en el mundo, y yo voy a ti. Padre santo, a los que me has dado, guárdalos en tu nombre, para que sean uno, así como nosotros... Yo les he dado tu palabra, y el mundo los aborreció porque no son del mundo, como tampoco yo soy del mundo. No ruego que los quites del mundo, sino que los guardes del mal... Como tú me enviaste al mundo, así yo los he enviado al mundo*» (Juan 17:11, 14, 15, 18).

Nuestro propósito de permanecer en el mundo es mayormente por el bien de él, y no solamente por el nuestro.

Pero aun cuando Jesús expresó su voluntad para nosotros, reconoció el dilema que nos causaba: estar en el mundo, pero no ser del mundo. Cómo puede un cristiano obedecer al llamado de: «*Por lo cual, salid de en medio de ellos, y apartaos, dice el Señor, y no toquéis lo inmundo; y yo os recibiré*» (2 Corintios 6:17) y al mismo tiempo ser «*... enviados al mundo*» (Juan 17:18).

La relación del creyente con el mundo ha sido motivo de tensión a través de la Iglesia. A través de los siglos, al tratar los cristianos de lograr un equilibrio entre esos dos mandatos aparentemente contradictorios, nos hemos ido de un extremo al otro, desde un aislamiento ermitaño a una contemporización con el mundo. Ambos extremos malogran el propósito de Dios. El aislamiento hace que el ejemplo cristiano sea nulo. El valor de la armonía de nuestra vida no será notado por el mundo si nuestra separación se convierte en aislamiento. «*Ni se enciende una luz y se pone debajo de un almud, sino sobre el candelero, y alumbra a todos los que están en casa*» (Mateo 5:15).

La tendencia a aislarnos es natural

¡El mundo es un lugar peligroso! «*Sed sobrios, y velad, porque vuestro adversario el diablo, como león rugiente, anda alrededor buscando a quien devorar*» (1 Pedro 5:8).

La compatibilidad con los no cristianos es limitada. «*No os unáis en yugo desigual con los incrédulos; porque ¿qué compañerismo tiene la justicia con la injusticia? ¿Y qué comunión la luz con las tinieblas? ¿Y qué concordia Cristo con Belial? ¿O qué parte el creyente con el incrédulo? ¿Y qué acuerdo hay entre el templo de Dios y los ídolos? Porque vosotros sois templo del Dios viviente, como Dios dijo: Habitaré y andaré entre ellos, y seré su Dios, y ellos serán mi pueblo. Por lo cual, salid de en medio de ellos, y apartaos, dice el Señor, y no toquéis lo inmundo; y yo os recibiré*» (2 Corintios 6:14-17).

Ciertas actividades ya nos resultan incómodas. «*Baste ya el tiempo pasado para haber hecho lo que agrada a los gentiles, andando en lascivias, concupiscencias, embriagueces, orgías, disipación y abominables idolatrías. A éstos les parece cosa extraña que vosotros no corráis con ellos en el mismo desenfreno de disolución, y os ultrajan*» (1 Pedro 4:3-4).

En suma, lo prudente parece retroceder a una distancia segura, pero nos preguntamos; ¿Qué es una distancia segura?

Hace unos años asistí a un cursillo donde el conferenciante dijo: «Cuando el cristiano adopta esta actitud, obliga a sus amigos y relaciones no cristianas a escoger: O serán atraídas a la vida cristiana o se retirarán. El retiro significa perder la amistad. En consecuencia, llegará el momento cuando el cristiano en desarrollo ya no tendrá amistades verdaderas entre no creyentes». Otro ha dicho: «Al madurar más y más, nos vamos haciendo menos y menos eficaces para el mundo».

¿Es esto lo que queremos decir con una distancia segura; ver como signo de madurez el hecho de que no tenemos amistades reales con inconversos? Esto es trágico, porque tal aislamiento tiene un efecto destructivo sobre el cuerpo local del cristiano a la vez que destruye nuestra comunicación con los perdidos. Los cristianos que se encierran en sí mismos, que no viven la experiencia de una afluencia continua de personas llegando del dominio de la tinieblas, pronto se rodean de su propia subcultura. Al no recibir retroalimentación de las personas que llegan recientemente del mundo se olvidan de cómo es. Surgen entonces códigos peculiares en el lenguaje, formas de conducta y técnicas de comunicación que sólo tiene significado para los que están dentro. En consecuencia, el cuerpo local se encierra en sí mismo. Y va resultando más y más extraño a los de fuera. Al final, la comunicación con el hombre de la calle es imposible.

Así que, ¿cuál es una distancia segura? Jesús contesta la pregunta con una afirmación intrigante en Juan 17:17. Pidió a su Padre (en el contexto de enviar a sus discípulos al mundo) de santificarlos (separarlos para su uso sagrado o hacer santo). «*Santifícalos en tu verdad; tu palabra es verdad.*» Básicamente, la santificación no es cuestión de geografía (dónde estamos), sino del corazón (quién es su dueño). Mantenemos una distancia segura al ser constantemente transformados por la renovación de nuestra mente por medio de la verdad de la palabra de Dios. Esto requiere tiempo a solas con Él, cuando sometemos activamente nuestra mente a la verdad. Si esta práctica no es parte de nuestras vidas, o si no es eficaz, no estamos preparados para encuentros con no cristianos en el mundo. En ese caso, quizás ese aislamiento será, después de todo, ¡la mejor alternativa!

Capítulo II

TEMOR RECÍPROCO

Barrera que impide las relaciones honestas

El cristiano teme la influencia de los que viven sin Dios. Por un lado, tiene razón. «*Las malas conversaciones corrompen las buenas costumbres*» (1 Corintios 15:33). Por otro lado, no la tiene. Y el temor es recíproco, porque resulta que el inconverso teme al creyente, y su temor es de esperar. «*Porque para Dios somos grato olor de Cristo en los que se salvan, y en los que se pierden; a éstos ciertamente olor de muerte para muerte, y a aquéllos olor de vida para vida*» (2 Corintios 2:15, 16). La presencia del cristiano le recuerda el juicio de Dios que se cierne sobre él. Alguno de los temores del no cristiano son reales, otros infundados.

Sean los temores reales o infundados, constituyen una formidable barrera que impide la comunicación del evangelio. Piénselo un instante. Si usted se sintiera absolutamente libre de temor, ¿qué tipo de testigo sería?

Aun el intrépido apóstol Pablo tuvo que enfrentar el temor. Les dijo a los cristianos en Corinto que había estado entre ellos «*... con debilidad y mucho temor y temblor"*» (1 Corintios 2:3). Pidió a los Efesios que oraran que le fuera «*dada palabra para dar a conocer con denuedo el misterio del evangelio*» (Efesios 6:19). Los temores de Pablo surgían de sus experiencias en el pasado con látigos, cárceles y pedradas. Nuestros temores son más abstractos, pero no sin fundamento.

El no cristiano en parte tiene temores porque le somos un recordatorio de cosas en que prefiere no pensar; pecado, muerte y juicio. Pero algunos de sus temores se deben a la censura que transmitimos. Esta es injusta, porque no somos jueces.

Cómo vencer los temores del no cristiano

El cristiano tiende a medir al no cristiano contra una lista arbitraria de conducta aceptable y no aceptable. La lista es una mezcla de mandatos explícitos en la palabra de Dios como, *"no cometerás adulterio"*, hasta asuntos relativos que surgen de nuestras tradiciones, como ser la abstinencia total.

El no cristiano capta las vibraciones y siente que se le juzga. A veces se disculpa por tener hábitos inaceptables, indicando que ha caído en manos de alguien que se ha propuesto reformarlo. Cuando aparecen estos juicios la comunicación es imposible.

Pero ¿cómo evitarlo? ¿Cómo podemos acercarnos a alguien cuyo pecado es destruirse a sí mismo y a los que están a su alrededor? ¿Cerramos nuestros ojos cuando estamos con alguien que maltrata a su familia con sus infidelidades? ¿Podemos esconder la censura que sentimos hacia él? ¿Cuál es la solución?

Observe a Jesús, pudo aceptar lo peor en nosotros. ¿Cómo? Era realista. Conocía la capacidad del mal en el ser humano, eso era todo lo que esperaba de él. Sabía también que las peores acciones del hombre son sólo síntomas de algo más profundo y feo; rebelión contra Dios. Es la rebelión, no la ignorancia, lo que separa al hombre de Dios. Y esta rebelión es el origen de todos los problemas del hombre. Jesús no se dedicó a tratar los síntomas. Se fue directamente al remedio.

Esta habilidad de ver más allá del síntoma superficial a la verdadera necesidad es la clave para establecer relaciones honestas con no cristianos. No tenemos que aceptar su conducta para aceptarlos y amarlos a ellos mismos.

Tengo un amigo quien, cuando lo conocí, vivía en lo que podría llamarse la «contracultura». Trabajaba poco y tomaba drogas. No estaba casado con la muchacha que vivía. Empezamos a estudiar la Biblia, pero como yo tenía poco tiempo, lo invité a un grupo de estudio. Los integrantes buscaban al Señor también, pero eran más rectos y algunos más filósofos que mi amigo, en consecuencia, mucho de los que discutíamos le pasaba por encima.

Por fin durante un estudio, explotó: ¡No entiendo lo que estoy viviendo! ¡Lo que aquí dicen no tiene nada que ver conmigo!

Estuve de acuerdo. No lo entendía. En respuesta, como una actitud desafiante, me invitó a visitar su mundo. Hicimos cita para pasar una velada la siguiente semana donde se reunían sus amigos. ¡Para mí fue muy educativo!

Fuimos los primeros en llegar. Gradualmente, el lugar se llenó. Cada individuo constituía un caso de estudio. Por fin entró el líder. Ostentosamente descuidado, tenía cabello largo y barba, y le faltaban los dientes de delante. Al sentarse anunció: «Hoy renuncié a mi empleo». Por la reacción de los demás, me di cuenta de que acababa de llevar a cabo la acción más prestigiosa dentro de esa estructura: quedar sin empleo. Significaba estar libre, no tener responsabilidades y dejar que la sociedad se encargara de ellos.

Cuando fui conociendo sus antecedentes descubrí cómo había logrado ser el número uno entre sus pares.

Siendo graduado de la Universidad con una carrera militar, de pronto dejó a su esposa y un puesto en el gobierno para seguir sus caprichos. Vendía drogas para su sustento. Todo lo que tenía en el mundo era una camioneta negra, un par de esquís y dos perros enormes. Era un estilo de vida que evitaba cualquier pensamiento del futuro y se preocupaba sólo de lo que le producía placer en el presente.

Después de esta experiencia saqué a mi amigo del grupo de estudio bíblico y juntos estudiábamos la Biblia en su departamento. Sus amigos, sabiendo lo que estábamos haciendo, se nos acercaban. Ocasionalmente tomaban la Biblia de él y la leían. Su pareja empezó a interesarse, se quedaba a los estudios y ¡no se perdía una palabra!

Pero, ¿qué hacer con su pecado? Después de aceptar a Jesús empezó a tratar de hacer desaparecer los síntomas. El primer problema que tratamos fue su falta de obligación de pareja.

Gracias a Dios, sus leyes son racionales. No son insensatas ni arbitrarias. Por esto quiero decir que si existiera una persona que tuviera toda la sabiduría y pudiera contestar la pregunta ¿cuáles son las pautas para la supervivencia de una sociedad, y cuál debe ser su sistema de valores para que prospere?, creo que su respuesta sería: Los Diez Mandamientos.

Lo que la Biblia dice del adulterio y del matrimonio no es ilógico. Así que un día, cuando mi amigo y yo conversábamos, le descubrí cómo me imaginaba yo la relación entre ellos dos; que realmente gustaban el uno del otro, que sabían que ninguno quería perder al otro, pero que ambos sabían que ninguno de los dos sentía ninguna obligación por el otro. Como consecuencia, pretendían vivir en una armonía que en realidad no sentían.

Luego hice una proyección de lo que sería el futuro de su relación. Le dije que finalmente la relación se convertiría en una desilusión conforme continuaban simulando quererse. Por lo tanto, su relación estaba destinada a desintegrarse bajo la primera crisis real. Cuando llegara la explosión, cada uno iría por su camino, ambos heridos; luego le expliqué que la intención de Dios era unir al hombre y a la mujer en una unión inseparable, Mateo 19:6. Esto es porque cualquier relación humana debe basarse, si es que ha de sobrevivir, en obligación o dedicación mutua.

Mi amigo no dijo una palabra, pero, dos semanas después recibimos una participación de enlace. Hoy ambos caminan con Cristo.

Necesitamos aceptar al no convertido como es, enfocar el remedio y después ayudarle a encontrar su camino en medio de las cosas que lo están destruyendo. Cuando invertimos este orden, somos reformadores en lugar de personas que ofrecemos el verdadero remedio.

Cómo superar nuestros propios temores

Depende de nosotros. Si hemos de solucionar el dilema del aislamiento, es obvio que depende de nosotros. Jesús nos indicó algunas cosas sencillas y fáciles de hacer para evitar el aislamiento y ser luces donde más falta hace: en medio de la oscuridad del mundo.

En Mateo 5:43-48, Jesús dice que debemos ser como nuestro Padre que hace que el sol brille sobre malos y buenos. Dice: No ames únicamente a los que responden a tu amor. Eso es lo que todos hacen. Toma la iniciativa de brindar tu amistad y en observar la vivencia de los que están a tu alrededor.

Y eso es tan difícil, ¿verdad?

En Lucas 14:12-13. Jesús sugiere que cuando ofrecemos una comida no hemos de invitar únicamente a nuestros amigos y parientes. Ya sabe usted cómo es eso.

esta vez nos toca a nosotros, la próxima a ellos. Al final, cada uno puso lo mismo. A nadie le costó nada. En cambio, dice, invita al pobre, al lisiado, al cojo y al ciego que no te puede devolver nada hasta el día de la resurrección cuando estarán presentes.

En otras palabras, sea hospitalario. Rompa deliberadamente la rutina de gente y lugares por causa del evangelio. No conozco un ambiente más eficaz para iniciar la tarea envangelizadora que mientras disfrutamos de una comida en casa o en un restaurante tranquilo.

Y eso no es difícil tampoco, ¿verdad? Debemos ir al mundo para establecer la armonía necesaria para atraer a la gente a nuestras vidas.

Capítulo III

QUIÉN SE ADAPTA A QUIÉN

Cómo lograr que la otra persona se sienta cómoda

Cubrir la brecha en la comunicación entre los cristianos y el mundo secular debe ser de principal importancia si hemos de evangelizar más allá de nuestro grupo.

Un breve pasaje de Pablo en 1 Corintios 9 sintetiza esto como un solo principio. Vemos claramente que el tema del pasaje es la evangelización. Pablo escribió: «*Por lo cual siendo libre de todos, me he hecho siervo de todos para ganar a mayor número. Me he hecho a los judíos, como judío, para ganar a los judíos; a los que están en la ley (aunque yo no esté sujeto a ley) como sujeto a la ley, para ganar a los que están sujetos a la ley; a los que están sin ley, como si yo estuviera sin ley (no estando yo sin ley de Dios, sino bajo la ley de Cristo), para ganar a los que están sin ley. Me he hecho débil a los débiles, para ganar a los débiles, a todos me he hecho de todo; para que de todos modos salve a algunos. Y esto hago por causa del evangelio, para hacerme copartícipe de él*» (1 Corintios 9:19-23).

Pablo dijo que como testigo reconocía que él debía ser quien se adaptara al inconverso. El testigo se adapta a aquellos a quienes evangeliza, y no al revés. Pablo defendió su libertad de ser todo para todos porque sabía que en eso consistía el equilibrio entre estar «en el mundo» y estar «separado» de él. Estar en el mundo es sentirse libre para participar en la vida de los que le rodean. Estar separado significa que hacemos esto sin comprometer el gobierno soberano de Dios en nuestro corazón: en otras palabras, sin pecar.

En la práctica, qué significa «¿ser todo para todos?» ¿Qué significaba que Pablo viviera como un judío cuando se encontraba entre los judíos y cambiara y viviera como alguien que no tiene ley cuando se hallaba entre gentiles? Significaba que respetaría los escrúpulos y tradiciones de quienes estuvieran a su alrededor, y que tendría la flexibilidad de dejar a un lado prácticas de grupo al asociarse con personas de costumbres diferentes.

Esto les pareció escandaloso a muchos, pero Pablo estaba dispuesto a pagar un precio por mantener su posición. Fue una figura controversial entre cristianos y no cristianos hasta el día de su muerte. Hay que ser maduro y valiente para «ir a los gentiles».

Cuando discutíamos por qué un equipo misionero tenía dificultad en establecer un ministerio sólido en su país un sudamericano dijo: «Su santificación es norteamericana. Me da la impresión de que tienen miedo a adaptarse a nuestra cultura porque al hacerlo, el mundo los mancharía, temen paganizarse».

Es difícil enfrentar un cambio, especialmente en áreas de conducta. Ir al mundo requiere cambiar. Implica participar en la vida de la gente. Significa pensar, sentir, comprender y tomar seriamente los valores de los que queremos ganar.

Nuestro prototipo es la encarnación. Jesús dejó a un lado la gloria: *«Se despojó a sí mismo.... hecho semejante a los hombres... se humilló a sí mismo».* Filipenses 2:7-8. En consecuencia, *«tenemos... uno que fue tentado en todo según nuestra semejanza, pero sin pecado»* (Hebreos 4:15). Vino al mundo, vivió su vida en nuestra presencia y participó con nosotros en la vida tal cual nosotros la vivimos. Se detuvo sólo ante el pecado. ¿Hasta dónde podríamos nosotros identificarnos con Dios si no hubiera sucedido la encarnación?

El apóstol Pablo siguió el mismo principio. Fue a los no cristianos a fin de traerlos a Dios, pero sabía que el camino a Dios tenía que pasar por su propia vida. «*Vosotros sois testigos*», les recordó a los tesalonicenses, «*de cuán santa, justa e irreprensiblemente nos comportamos con vosotros*» (1 Tesalonicenses 2:10).

Para bien o para mal, la vida que vive el cristiano en presencia de quienes espera ganar es un anticipo de lo que la vida del no cristiano será si acepta lo que escucha. Por lo general, decidirá aceptar o rechazar a Cristo según lo que haya visto. Tropecé con esta verdad por accidente.

Un amigo brasileño, Mario, y yo estudiamos la Biblia durante cuatro años antes de que él decidiera aceptar a Cristo. Siendo un intelectual que había leído a casi todos los pensadores occidentales desde Rousseau hasta Kafka, había amalgamado una filosofía personal que era básicamente marxista, siendo Bertrand Russell su santo patrón.

Era un activista político, líder de muchas actividades marxistas; ¿por qué, pues, siguió estudiando la Biblia conmigo por espacio de cuatro años, o por qué le tuve tanta paciencia por tanto tiempo, es algo que ninguno de los dos podemos explicar hasta el día de hoy, pero así fue.

Como vivía la vida en un plan filosófico, nuestros estudios bíblicos muchas veces eran enfocados en esa dirección. Un día, dos años después de que Mario se convirtiera, él y yo platicábamos recordando esos años. Me preguntó:

–¿Sabes qué fue lo que realmente me hizo aceptar a Cristo?

Por supuesto, inmediatamente pensé en la cantidad de horas de estudio bíblico, pero respondí:

–No, ¿qué fue?

Su respuesta me cogió de sorpresa; me dijo:

–¿Recuerdas la primera vez que estuve en tu casa? Los dos íbamos a alguna parte juntos y tomé un plato de sopa con usted y su familia. Al observarlo a usted, a su esposa, a sus hijos y cómo se trataban unos a otros, me pregunté: ¿Cuándo tendré una relación así con mi novia? Al darme cuenta de que la respuesta era «nunca», llegué a la conclusión de que tenía que aceptar a Cristo por el bien de mi supervivencia.

Recordé la ocasión, y que los chicos no se portaron muy bien aquella noche. También recordé lo frustrado que me sentí al tener que corregirlos en presencia de Mario.

Mario vio que Cristo une la familia. El último versículo del antiguo Testamento habla de volver *«el corazón de los padres hacia los hijos, y el corazón de los hijos hacia los padres»* (Malaquías 4:6).

Nuestra familia no se había dado cuenta de su influencia sobre Mario. Dios había hecho su obra a través de nuestra familia sin saberlo nosotros. La mayoría de los cristianos probablemente no se han dado cuenta de las mejoras que Dios hace en nosotros en el proceso de santificación.

Tenemos la tendencia de ver las debilidades e incongruencias en nuestras vidas y nuestra reacción es no dejar que los de fuera se nos acerquen lo suficiente como para ver cómo somos realmente. Aun cuando estamos acertados, pienso que cualquier creyente que sinceramente busca caminar con Dios, a pesar de sus faltas, refleja a Cristo. Pareciera que cuando nos parece que mejor nos va, proyectamos lo peor.

No basta, entonces, caer ocasionalmente en la vida de otro individuo, predicarle y luego seguir nuestro camino. De alguna manera necesita entrar también a nuestro mundo. Si no lo hace, el concepto que tiene de nosotros es tan fragmentado que podría no captar el cuadro total. No llega a ver los efectos que la gracia de Dios ha tenido en nuestras vidas diarias.

Pero esta interacción recíproca nunca podrá suceder a menos que los cristianos aprendamos cómo ser «todo para todos».

(Tomado de *Evangelización: Un estilo de vida,* Casa Bautista de Publicaciones, El Paso, Texas. Usado con permiso).

camino. De alguna manera necesita entrar también a nuestro mundo. Si no lo hace el concepto que tiene de nosotros es tan fragmentado que podría no captar el cuadro total. No llega a ver los efectos que la gracia de Dios ha tenido en nuestras vidas diarias.

Pero esta interacción recíproca nunca podrá suceder a menos que los cristianos aprendamos cómo ser «todo para todos».

[illegible]

(Tomado de *Evangelización: Un estilo de vida*. Casa Bautista de Publicaciones, El Paso, Texas. Usado con permiso).

[illegible]

Capítulo IV

LA IGLESIA BÍBLICA EN SU FUNCIONAMIENTO NORMAL

«*Y todos los días, en el templo y por las casas, no cesaban de enseñar y predicar a Jesucristo*» (Hechos 5:42).

Este versículo da una idea completa de los lugares que ocupaba el funcionamiento de la Iglesia Apostólica, de la que no debiéramos diferenciarnos en nada. La forma de llevar adelante la vida de iglesia se desarrollaba en dos lugares perfectamente diferenciados, el templo y las casas. Actualmente sólo se hace hincapié en uno de estos lugares para la vida de iglesia y es el templo. Tanto se hace notar su importancia que hasta se confunde iglesia con templo. El templo es el edificio, mientras que la iglesia está compuesta por cada miembro del cuerpo de Cristo.

Hemos confundido los términos y decimos al edificio iglesia. Esta confusión también viene a raíz de que hemos descuidado el otro lugar donde la iglesia desarrolla su actividad y es en LAS CASAS. A simple vista esto no parece tener mayor importancia pero tomemos atención y veremos que actualmente nos falta quizás la mejor de las vivencias como iglesia por haber descuidado las casas. Muchos dicen que no se puede dejar de adorar y alabar en el templo y la gran mayoría de cristianos sentiríamos muy profundamente no hacerlo. Pero TAMPOCO SE PUEDE DEJAR DE VIVIR EL EVANGELIO EN LAS CASAS.

Las menciones que tenemos de que el evangelio de la Iglesia primitiva estaba desarrollado en las casas están casi en todas las epístolas.

«Saludad a Priscila y a Aquila, mis colaboradores en Cristo Jesús, que expusieron su vida por mí; a los cuales no sólo doy gracias, sino también todas las iglesias (no son templos) de los gentiles. SALUDAD TAMBIÉN A LA IGLESIA DE SU CASA» (Romanos 16:3, 5).

«Saludad a Apeles, aprobado en Cristo. Saludad a los de la casa de Aristóbulo» (Romanos 16:10).

«Las iglesias de Asia os saludan. Aquila y Priscila, con la iglesia que está en su casa, os saludan mucho en el Señor» (1 Corintios 16:19).

«Todos los santos os saludan, y especialmente los de la casa de César» (Filipenses 4:22).

«Saludad a los hermanos que están en Laodicea, y a Ninfas y a la iglesia que está en su casa» (Colosenses 4:15).

Una y otra vez leemos en la Palabra de Dios que las iglesias se desarrollaban en las casas. Las cartas son un claro ejemplo de que el evangelio tiene su comienzo en las casas.

Ahora bien, ¿Cómo se hace este trabajo?

Jesús mismo decía: *«Yendo, predicad, diciendo: El reino de los cielos se ha acercado... Mas en cualquier ciudad o aldea donde entréis, informaos quién en ella sea digno, y posad allí hasta que salgáis. Y al entrar en la casa, SALUDADLA. Y si la casa fuere digna, vuestra paz vendrá sobre ella; mas si no fuere digna, vuestra paz se volverá a vosotros»* (Mateo 10:7-11, 12, 13).

Sin duda el evangelio comienza por LAS CASAS y en LAS CASAS. Pero hay que tener en cuenta que el mandato de Jesús no es para que los incrédulos o inconversos vengan a nuestras casas o al templo, sino Jesús dijo que los creyentes, sus discípulos, sus seguidores deben ir a las casas de los incrédulos e inconversos para llevar el mensaje y dejar la paz de Dios en aquel lugar. Hacerlo de otra manera es contrariar el mandato de Jesús.

Podemos entregar tratados, podemos cursar invitaciones, podemos visitar de «pasada» una casa y tratar de hablar del Señor, pero nunca será tan efectivo como que en ese lugar posemos, entremos y traigamos la paz de Dios tal como lo ha ordenado Jesús.

Hay sobrados ejemplos en la actualidad. En Corea del Sur han sido tomadas de esta manera fábricas enteras, edificios y barrios para la gloria de Dios. ¿Cómo lo hicieron? Aplicaron este principio y los resultados son asombrosos. Además, esto tiene un significado especial en el plano espiritual de la ciudad o lugar. Este es un amplio tema que luego trataremos.

Si queremos tener éxito en la prédica del evangelio hay que seguir los pasos que Jesús da al respecto.

Jesús siempre se ha valido de dos mensajeros para que lleven las buenas nuevas, nosotros no podemos hacerlo de forma distinta. En nuestro caso, el líder de célula tiene un acompañante para que el trabajo se desarrolle entre dos personas.

Jesús da instrucciones específicas cuando de llevar el evangelio se trata. *«Y yendo, predicad, diciendo: El reino de los cielos se ha acercado, SANAD ENFERMOS, LIMPIAD LEPROSOS, RESUCITAD MUERTOS, ECHAD FUERA DEMONIOS; de gracia recibisteis, dad de gracia»* (Mateo 10:7, 8).

¿Queremos algún trabajo más específico? Lo que pasa es que cuando nos proponemos llevar el evangelio hay que tener en claro que no vamos como quien pasa el tiempo o para hacer vida social. Llevar el evangelio es llevar libertad, liberación, sanidad, buenas noticias, salvación y demostración del poder de Dios.

El mandato de Cristo es insoslayable

Para mandar a predicar el evangelio a los discípulos Jesús dijo: «*Toda potestad me ha sido dada en el cielo y en la tierra. Por tanto ID...*». Esto es lo que hace que nuestras palabras obren toda clase de demostración de poder de Dios. Jesús mismo está deseando que sus hijos tomen en cuenta estas palabras y las larguen como flechas contra Satanás, quien tiene oprimidas las almas en el pecado y la maldad.

Nosotros contamos con este apoyo de parte del Señor en todos los casos. Por eso nos preguntamos: ¿Por qué cuesta tanto abrir nuestra boca para liberar este todo-poder que hay en nuestro Jesús? La única explicación es que el diablo está ocupado haciéndonos perder el tiempo en pensamientos de temor y duda, para que no apliquemos lo que nuestro querido Jesús ha logrado en el cielo y en la tierra, que es el todo-poder. Examinemos qué es lo que nos pasa cuando nosotros queremos liberar este grandioso poder de Jesús con nuestras palabras y hechos y veremos cómo trabaja el diablo por todos los medios para que nosotros no podamos hacerlo. Hace dos mil años el diablo ha perdido una guerra, y nosotros en la actualidad todavía tenemos para cobrar parte del botín.

«*Id por todo el mundo y predicad el evangelio a toda criatura. El que creyere y fuere bautizado será salvo; mas el que no creyere será condenado. Y ESTAS SEÑALES SEGUIRÁN A LOS QUE CREEN: EN MI NOMBRE ECHARÁN FUERA DEMONIOS; HABLARÁN NUEVAS LENGUAS; TOMARÁN EN LAS MANOS SERPIENTES, Y SI BEBIEREN COSA MORTÍFERA, NO LES HARÁ DAÑO; SOBRE LOS ENFERMOS PONDRÁN SUS MANOS Y SANARÁN*» (Marcos 16:15-18).

El hablar en lenguas es casi aceptado por la gran mayoría de cristianos que creen, pero ¿qué es lo que pasa con las otras cosas? También están en el mismo nivel que el hablar en lenguas. ¿Cuántos de los que creen aplican toda esta palabra? Lo que pasa es que el hablar en lenguas es algo relativamente inofensivo para el diablo y él no se cuida de privarnos de eso. El diablo está ocupado en privarnos de las otras cosas que sí lo aguijonean. Nos fabrica falsa humildad, nos dice que esas cosas eran para los cristianos primitivos, nos dice que vamos a exponernos al ridículo, nos predica una lista de mentiras que nos inhabilitan para liberar el todo-poder de Jesucristo. Para presentar el evangelio al mundo como corresponde hay que desoír todo tipo de prédica del diablo, y ya que creemos en nuestro Señor Jesucristo, debemos hacer lo que nos dejó en su mandato explícitamente. Es orden escrita del que tiene todo-poder en el cielo y en la tierra que vayamos por las casas. No es una sugerencia para que la apliquemos si nos gusta o nos conviene. Alabado sea el Señor de señores. Nuestra prédica es Jesús. Nuestro mensaje es Él. Y nuestro único respaldo es Él.

ÉL es la garantía de salvación para toda la Humanidad. Porque resucitó y vive eternamente. Vive «en» nosotros y «con» nosotros a través del Espíritu Santo. Por Él estamos facultados para obrar toda palabra de autoridad y poder conferida a la Iglesia (véase Efesios 1 y 4). Somos los poseedores de la gran comisión y los responsables de transmitir a nuestra generación el evangelio del reino de Dios. Nada es más comprometedor que no acatar las ordenes del Rey de reyes, Jesucristo. Debemos, porque no es cuestión de gusto, abrir nuestras bocas para que Él las llene de palabra poderosa. Debemos abrir nuestro corazón para que llegue la Unción del Espíritu Santo. Debemos tomar las armas de luz y salir a pelear con los secuaces del diablo. Debemos someternos a Dios, primeramente, y RESISTIR AL DIABLO MISMO, SI ES NECESARIO (ver Santiago 4:5-10) PORQUE HUIRÁ DE

NOSOTROS. Esto podría parafrasearse así: Cuando nos sometemos a Dios, estando en su voluntad y agradándole completamente, podemos pelear y resistir al mismo diablo y huirá de nosotros. Pero esto es solamente para los que son capaces de someterse a Dios; porque su trabajo específico es «resistir a los soberbios». La verdad que a los soberbios no les debe ir muy bien. Dios no ha dejado a su cuerpo en la tierra para que ocupe el tiempo libre de los miembros que se aburren haciéndoles pasar buen momento de vida social en las iglesias. DIOS NOS HA DEJADO SOBRE ESTA TIERRA SOLAMENTE PARA QUE PREDIQUEMOS A TODO PULMÓN EL EVANGELIO DEL REINO DE DIOS.

¿Qué otra cosa cree que Cristo haya programado hacer con su cuerpo, o sea, con su Iglesia sobre la tierra? Si no tenemos en cuenta la prédica del evangelio, sería necesario salir del mundo después de entregarnos al Señor. Para librarnos del pecado y asegurarnos la salvación sería necesario morir inmediatamente después de recibir a Jesucristo como nuestro salvador personal. Sería un sin sentido vivir sobre este pecaminoso suelo una vez que hemos conocido al Señor, si Dios no tuviera en mente llevar la prédica del evangelio de Salvación a cada rincón de su barrio y su ciudad a través de usted mismo. Sería necesario, si nosotros no vamos a hacer ese trabajo, que Dios enviara miles de ángeles que hablen, prediquen y oren por la salvación de sus vecinos y conciudadanos. Pero resulta que el Hijo Unigénito de Dios nos dio orden terminante de IR y predicar a todo el mundo el evangelio del Reino de Dios. Ningún ángel del cielo lo hará jamás, pues el mismo Rey del Universo ordenó que los hombres fueran a predicar las Buenas Nuevas.

La prueba está con Cornelio y Pedro (véase Hechos 10). Ningún ser celestial será comisionado para que golpee la puerta de su vecino y le hable de la salvación que trajo nuestro bendito Jesús. Nunca espere eso porque nunca ocurrirá. ES USTED EL COMISIONADO POR EL CIELO PARA HACER ESE TRABAJO. ADEMÁS, SE LE PEDIRÁ CUENTA DE SI LO HA HECHO O NO. Se nos avergonzará delante del Padre de Jesús, si nosotros nos avergonzamos aquí del salvador de nuestras almas. Querido hermano, no podemos escapar bajo ninguna excusa de esta situación. Debemos salir y hablar del Señor aunque sea primero a los conocidos y vecinos, luego a los demás.

La actividad de prédica puede llevarse de diferentes maneras. La manera bíblica es por las casas y haciendo un minucioso trabajo. Hablando a los ocupantes de la casa, orando o saludando en esa casa para que venga la paz de Dios sobre ella, sanando a los enfermos que allí haya, echando fuera los demonios que allí habitan, abriendo las Escrituras y orando para que fluya el Espíritu Santo trayendo su precioso fruto (Gálatas 5). No hay que caminar largas distancias ni viajar a lugares insólitos innecesariamente, no hay que pensarlo mucho, porque al evangelio lo necesitan a la par de su casa.

Muchos cristianos cuando se habla de evangelizar, piensan enseguida en llenar sus maletas para salir a un largo viaje. Yo quiero decirles que detrás de las paredes medianeras de su casa los matrimonios se destruyen, los hijos se vuelven contra sus padres, la droga hace destrozos irreparables, la inmoralidad y todo pecado infame hace infelices a los seres humanos. La música satánica llena los cerebros de venganza, odio, ira y maledicencias. Las enfermedades postran a personas útiles; los demonios hacen nido en toda perversidad y mentira; la televisión les muestra «cómo se vive actualizado» con las mejores perversiones. Las revistas de la *Nueva Era* dicen cómo prepararse para recibir al Anticristo; y usted vive cantando al Señor, lleno de gozo en su corazón, escuchando radio cristiana y leyendo la Biblia cada mañana de este lado de la misma pared medianera. Cuando sale para ir al templo va bien vestido, con la Biblia en la mano, y saluda a los demás casi sin apreciar que serán los futuros pobladores del infierno, porque ellos son los «inconversos», ellos son los «mundanos», «los gentiles». Realmente debiéramos amar a nuestro prójimo como a nosotros mismos.

El diablo nos predica mentiras diciéndonos que nosotros somos mejores, que somos los «privilegiados», que debemos contentarnos con ir al templo los domingos y si nos ven los vecinos no importa, hay que sufrir «la burla» por el evangelio. Todo esto en parte es verdad. Pero la picardía de esa mentira está en que pocas veces llevamos un pedazo de pan para comer con los incrédulos y perdidos, para que hablemos del Señor en cuanto nos den la primera oportunidad. Frecuentemente la prédica del diablo no es distinta que en el desierto con Jesús hace dos mil años. Jesús tuvo que escuchar la cita de la Palabra de Dios por parte del mismo Satanás; pero, por supuesto, pudo rebatirlo porque éste quería engañarlo (véase Mateo 4 y todas sus referencias). A nosotros nos ocurre igual y termina mintiéndonos con la Biblia en la mano. Algún día olvidemos todas las enseñanzas del diablo y pasemos a nuestros amigos y vecinos del barrio con cualquier pretexto, pero esperando sólo una oportunidad para hablar del Señor. Veremos cómo se aplica en la práctica lo que es el evangelio del reino de Dios. ESO ES SENCILLAMENTE EVANGELIZAR.

Las reuniones por las casas es algo practicado por las iglesias de los primeros cristianos con resultados increíbles. Actualmente no puede ser distinto, el poder de Jesús no ha cambiado y su amor sigue inalterable. Lo que falta es que nosotros empecemos a hacer lo que se nos ha mandado.

Las reuniones en las casas tienen una particularidad única. Los que participan centran su atención en lo que están comentando las personas necesitadas. Las necesidades son reales y las respuestas de Dios a las oraciones, también son reales. El evangelio se torna real. Dios se muestra como un ser real y no tiene lugar el espíritu de religiosidad.

Las reuniones en las casas tienen la particularidad de sacar de escena a los que en las organizaciones o instituciones tienen cargos o títulos que le dan jerarquía, creando esto una falsa idea del rol de los dirigentes. En muchas ocasiones esto lleva a las personas a depender de una determinada figura o líder, y cuando esta persona falta o no está pareciera que se termina el evangelio. En las casas, sentados alrededor de una mesa, el evangelio deja de masificar a las personas, para poder presentarlas individualmente al que vive para siempre.

Las reuniones en las casas saca a los cristianos de la pasividad e inactividad para ponerlos en acción con los dones o ministerios que Jesús dio a los hombres cuando llevó cautiva la cautividad (Efesios 4:8). Estas reuniones tienen la capacidad de mostrarnos en qué parte del cuerpo de Cristo obramos, o en qué trabajo nos quiere poner el Señor.

Las reuniones en las casas explotan todo nuestro potencial en Cristo. Sacan a la luz y ponen de manifiesto a los verdaderos creyentes. Y pone en aprietos a los que viven acomodados en los mullidos bancos de las instituciones evangélicas, quienes más bien practican religión evangélica que evangelio. Estas aplicaciones de la verdadera vida que procede de Dios nunca pueden ponerse de manifiesto en el templo. La sencilla falta de tiempo y espacio para realizarlas en una congregación por todos y cada uno de los participantes es un inconveniente insalvable. Sumado a que los creyentes nunca tendrán la oportunidad para hacer o decir lo que Cristo el Señor quiere que digan o hagan sentados en un banco del templo.

¿Por qué conocemos un evangelio predicado de forma diferente?

Los cuatro evangelios, escritos de los hechos de Jesús y el libro de los Hechos de los Apóstoles, no se han desarrollado dentro de las cuatro paredes de un templo. El evangelio predicado por Jesús se ha desarrollado en las casas, plazas, playas, lugares públicos, sinagogas, Templo y ciudades reales, donde la gente común caminaba viendo y escuchando la poderosa doctrina del evangelio que predicaba el controvertido Jesús de Nazaret. Jesús mismo llegó a decirle a Caifás: «*Yo públicamente he hablado al mundo; siempre he enseñado... donde se reúnen los judíos, y nada he hablado en oculto*» (Juan 18:20). Pablo en su defensa ante el rey Agripa dijo a voz en cuello: «*... el rey sabe estas cosas, delante de quien también hablo con toda confianza. Porque no pienso que ignora nada de esto; pues no se ha hecho esto en algún rincón*» (Hechos 26:26).

La seguridad que sentía el apóstol Pablo al hablar del evangelio era que nada se había hecho dentro de cuatro paredes, al contrario, era de dominio público, algo hecho a la luz del día. La prédica de Pedro en el día de Pentecostés, la conversión de miles en la siguiente prédica; la ciudad de Samaria sacudida por la prédica de Felipe; los alborotos y revueltas sociales y/o religiosas que generaban la prédica de Pablo y Bernabé. Ciudades enteras eran conmocionadas y sacudidas hasta sus cimientos por el poder de Dios mostrado en vía pública. Los atenienses en Grecia también se detuvieron a escuchar a un palabrero, Pablo, pero fueron tocados por el poder del Espíritu Santo de manera notable. Esto y mucho más se escribió en el libro de los Hechos. Nosotros lo predicamos y lo enseñamos pero falta ver que eso ocurra ahora mismo. A veces da la impresión de que el evangelio que vivimos en este siglo nada tiene que ver con el desarrollo del evangelio de Jesús y sus seguidores. Las epístolas son otra prueba irrefutable de que el evangelio se desarrollaba por las calles, plazas, cárceles (donde se escribieron varias hermosas epístolas), ciudades chicas y grandes y hasta en una isla de destierro cuyo nombre pasó a la historia por el apóstol Juan.

De toda la historia de la humanidad, esta parte debe ser en la que menos han influido en la historia mundial personas creyentes en Dios. Todos los reinos del mundo fueron minados por verdaderos hijos de Dios, véase todo el Antiguo Testamento, pero ahora no se ve bien que un cristiano comprado con la sangre de Jesús esté parado en el centro del poder de un imperio, cualquiera sea. ¿Qué es lo que nos ha pasado? Yo digo que tenemos religión evangélica pero me parece que no es sencillo encontrar el porqué.

No tenemos la capacidad de sentir el sufrimiento de los perdidos pues estamos adormecidos y aletargados. Ni siquiera tenemos el valor suficiente para golpear la puerta de un vecino en problemas y decirle con todo el corazón, ¡¡¡JESÚS TE AMA, JESÚS TE AMA!!! ÉL SALVA Y SANA.

Será necesario que cambiemos el enfoque del desarrollo del evangelio antes de que perezcamos en la ineptitud cristiana. Ahora se mide a un cristiano por las veces que asiste al templo. Antes se medía si era capaz de hacer frente a las fieras en el coliseo romano por ser creyente en Cristo. Las hogueras, las horcas y las catacumbas han enterrado a nuestros primeros hermanos, y ahora se mide nuestro compromiso cristiano viendo si somos capaces de dejar algo que hacer del día domingo para asistir a la reunión. Es verdad que estamos en otras épocas, como se nos dice, pero también es verdad que nuestro Señor merece otro tipo de compromiso de parte nuestra que no sea el meramente institucional. Cuando quedamos al descubierto en nuestro lugar de trabajo o estudio que somos cristianos, nuestra cara empieza a hervir sonrojada.

Tenemos que *estar «preparados para presentar defensa con mansedumbre y reverencia ante todo el que os demande razón de la esperanza que hay en vosotros; teniendo buena conciencia...»* (1 Pedro 3:15).

Podría asegurar que el evangelio que se predica en las casas nos prepara para todo esto. Simplemente se trata de la vida. De la vida aquí en la tierra y de la que pasaremos eternamente. Si nuestras raíces en el Señor no son profundas, casi inconscientemente huimos de las situaciones críticas donde debemos plantear el mensaje del evangelio como única salida.

Si nuestra fe está fundada en la roca inamovible, que es Jesucristo, podremos pararnos ante el necesitado y decir las palabras de Pedro y Juan al paralítico. Ellos, es cierto, iban a orar al Templo, pero no iban para cargar las pilas. Demostraron que las tenían cargadas. Tenían sobre ellos el poder genuino de Cristo; sus palabras obraron un sorprendente milagro y su actitud hacia la multitud que se juntó luego no fue para explicarles cómo había sucedido la sanidad del paralítico, ni para darles las gracias por la ovación que les hacían. Fue solamente que encontraron otra oportunidad para hablarles de nuestro Señor y Salvador.

Nosotros no podemos dejar de concurrir al templo para cantar, orar y estar en la congregación, pero tampoco podemos centrar nuestra vida cristiana solamente en estos actos públicos. Nuestra vida debe encontrar la comunión constante, *«el orar sin cesar»,* el vivir bajo la guía directa del Espíritu Santo desde que nos levantamos hasta que volvemos a la cama. Ese tipo de evangelio es el que produce resultados sorprendentes sólo con una palabra de fe. Este tipo de cristianismo es el que no nos deja impiadosos ante las necesidades de los demás. Este tipo de vida contagia las ganas de ser hijo de Dios.

Porque el mundo tiene razón de huir de nosotros si sólo queremos que se metan en nuestro templo y que hagan todo lo que allí les dicen. El verdadero evangelio es parte de la vida misma.

El evangelio no es emoción y alegrías desbordantes por unas horas de culto y luego se acaba el «sentimiento de bienestar», como si fuera una película. Ese tipo de evangelio sólo atrae a los que les gusta tener experiencias emocionales sin comprometerse demasiado en el asunto. En todo el mundo hay muchas cosas interesantes y reconfortantes también pasajeras. La gente debe descubrir el secreto de vivir, y vivir constantemente al amparo y cuidado de Dios, teniéndolo como su Padre y creador; a su Señor Jesús como centro de su vida, alabándole y gozándose cada hora del día. Eso es lo que el mundo necesita. Los inconversos se las arreglaron para tener todo aquello que les proporciona satisfacciones y bienestar; tarjetas de crédito, mutuales, clubes y asociaciones que cubren todo lo que nosotros creemos que les falta. Ellos necesitan la vida que sólo puede darles Jesús a través del Espíritu Santo.

Este es otro alcance potencial de las reuniones en las casas. La gente se espanta cuando proponemos que nos acompañen al templo. No quieren saber nada de religión, porque tienen argumentos acerca de la que ya tienen o no quieren ni oír de algo que denominan fanatismo. Tienen miedo a las sectas, aunque haya una secta de ateos. Huyen de lugares públicos donde pueden ser vistos de amigos o familiares que después les harán bromas. ¿Podemos entender un poco a los inconversos? Todo el tiempo la televisión está mostrando crueldades inverosímiles de quienes dicen hacerlo porque agradan a Dios. Las guerras son hasta el día de hoy en su mayoría porque no concuerdan ideas religiosas distintas. Hubo una guerra que duró treinta años, y se produjo por motivos religiosos. ¿Qué método de evangelización se puede aplicar para una época como la nuestra? Yo sigo convencido de que es el método más viejo que tiene el cristianismo. EL EVANGELIO PREDICADO POR LAS CASAS Y EN LAS CASAS.

Nadie puede poner excusas como las que acabamos de citar si es invitado a tomar el té en la casa de un vecino o amigo. Nadie puede poner excusas si usted no le habla de religión; en el peor de los casos puede estar hablando de Dios a algún ateo. Todas las veces que llega el momento de prejuicios para el inconverso sólo háblele de Dios, de su Hijo nuestro Señor Jesucristo, y del Espíritu Santo. Nadie puede poner excusas si se le habla de su falta de felicidad originada por el pecado. Nadie puede poner excusas si usted habla que debemos salvarnos porque algún día moriremos y que necesitamos la vida eterna, los ateos son los que más temen a la muerte. A lo sumo no estarán de acuerdo con lo que se les dice; pero la Palabra del Señor no volverá a Él vacía, hará conforme al propósito que fue enviada. Para eso se ora a Dios, que el Espíritu Santo convenza de pecado, de justicia y de juicio (Juan 16).

Tengo un pequeño testimonio de este tipo de situaciones y quiero contárselo.

Una hermana invita a su hermana carnal a escuchar la Palabra sabiendo que ella era, o al menos se decía, atea. Tras bastante insistencia la hermana consiguió convencer a esta incrédula, de que Dios mismo era el que hablaba allí. Esa noche trataron sobre Isaías donde la Palabra asegura que si pasáramos por el fuego no nos quemaríamos, si por las aguas no nos anegaríamos (Isaías 43:2).

Inevitablemente vino la pregunta cuando se dirigían a casa

–¿Te gustó lo que escuchaste?

–No, –contestó enfáticamente. ¿Cómo puedes creer que Dios te hable así?

Y con muchas otras palabras desaprobaba aquella reunión.

Pasaron dos semanas y el fuego tomó completamente el edificio donde vivía esta mujer atea. La situación era realmente muy peligrosa y la Palabra leída y explicada de la Biblia vino a su mente. Pudo aferrarse a ella, clamar a Dios por su vida y pasar por medio de las llamas sin ser tocado por el fuego ni un cabello de su cabeza. Cuando abrazó a su hermana, ya fuera de peligro, le dijo:

–Realmente Dios habla.

Debemos poner en práctica el mandato de Jesús

Es difícil encontrar una persona libre de las garras de Satanás y que no sea creyente en Cristo. Algunas parecen felices pero a poco de andar se descubre que cargan depresiones, angustias, miedos, amarguras. A esas personas y a todas las que encuentre en el mundo hay que predicarles el evangelio del reino de Dios.

Lo grande de las reuniones en las casas es que esas personas no sólo van a escuchar lo que usted les dice del Señor, sino que hay oídos que se proponen escuchar a esas personas que necesitan hablar a gritos de lo que sienten o lo que les pasa. ¿Cuántas personas en el mundo quieren normalmente cargar sus cabezas con problemas de otros? ¿Cuántas personas escuchan pacientemente el relato de una vida calamitosa?

Hoy por hoy, sicólogos, siquiatras, parasicólogos y toda la gente que de algún modo escucha, está embolsando cantidades increíbles de dinero, sólo porque la gente paga para que los escuchen. La mayoría de las veces saben que los profesionales y paraprofesionales no les darán ninguna solución para sus problemas, pero lo hacen porque hay otra persona que puede dedicarles tiempo y oído a su problema. Necesitan desahogarse. El mundo necesita desesperadamente del evangelio. Las personas que viven a nuestro alrededor y con las cuales nos saludamos y compartimos nuestro trabajo o estudio se están muriendo por dentro y nosotros creemos que hacemos bien en callarnos el favor de la salvación recibido por Dios.

Nada es más sublime que poder compartir la salvación que nosotros hemos recibido solamente por gracia de Dios. Jesús cuando mandó personalmente a sus discípulos a predicar les dijo: «*de gracia recibisteis, dad de gracia*» (Mateo 10:8). Cristo no sólo vino a predicar el evangelio del reino de Dios, sino vino a dar su vida en rescate por todo el mundo. Pablo cuando escribe a los Filipenses les dice: «*haya, pues, entre vosotros este mismo sentir que hubo en Cristo Jesús...*» (2:5). ¿Cuál fue ese sentir? Que Él, siendo semejante a Dios, no tuvo eso en cuenta para aferrarse al cielo, sino que se despojó y se humilló hasta lo sumo para compartirnos su vida eterna.

Sinceramente, he visto muchos cristianos que se sienten en grado superior como para rebajarse y hablar del Señor con un incrédulo. ¿Qué es lo que dice el apóstol? Señores, si Jesús hubiera tenido en cuenta que era Dios y se hubiera aferrado a eso, esta es la hora que nosotros arderíamos en el infierno. Este es el sentir que tuvo Jesús. No escatimó, no ahorró, quiere decir. No ahorró esfuerzo alguno. Nosotros nos sentamos cómodamente en nuestros templos y oramos a los gritos ¡¡Señor, trae las almas que serán salvas!! La verdad es que somos más que cómodos. Le pedimos al Señor que haga un trabajo que Él mandó que lo hiciéramos nosotros. Y de paso queremos que Él traiga las almas que van a ser salvas, no las que no se salvarán pero que tendrán que escuchar de igual manera el evangelio. La verdad es que queremos ahorrar así todo tipo de esfuerzos en la prédica.

Supongamos que tuviéramos el trabajo que tuvo que hacer Jesús en las ciudades de Corazín y Betsaida y luego, al final de semejante desgaste de caminatas, oraciones, sanidades, resurrecciones, milagros, multiplicación de alimentos y todo tipo de demostraciones de poder, el pueblo empiece a perseguirnos. Jesús maldijo aquellas ciudades por su incredulidad (Mateo 11:20-24). Pero Él no se ahorró el trabajo de predicarles. Él sabía que los corazones allí eran más duros que las piedras, pero no tomó la diagonal para hacerla más corta. Realizó un impecable trabajo de demostración de autoridad y potestad de parte de Dios, que lo presentaron ante el mundo como el Mesías, como el Hijo de Dios.

Las reuniones en las casas tienen algo que yo considero de inestimable importancia. Las familias se verán afectadas benéficamente por el hecho de llevar la Palabra de Dios dentro de la casa. Así como el alcohol o la droga tienen efectos visibles y comprobables en los moradores de una casa, la Palabra de Dios tiene un doble efecto medible y demostrable en todas las personas que viven bajo el mismo techo de una casa donde se habla del precioso Salvador y Señor de nuestras vidas. Muchos cristianos van por años a los templos a clamar por sus familiares y por los que entran y salen de sus casas, para que ellos conozcan a Jesús y sean salvos; pero jamás han abierto la Biblia, la Palabra de Dios, sobre la mesa de la cocina para leerla en voz alta. Es verdad que ser el único creyente en una familia es difícil y se paga por ello un precio muy alto. Pero en vez de llorar amargados, debemos aplicar sencillamente lo que la Palabra de Dios nos muestra. La vida y la prédica del evangelio en las casas.

Hay otras cosas más. ¿Cuál es el blanco de ataque de Satanás en estos tiempos? ¿No es la familia? ¿No es ese núcleo o célula de la sociedad el blanco? Destruir completamente la familia sería la obra maestra del diablo en estos tiempos. El hombre y la mujer son seres esencialmente sociales. Un hombre no puede nacer, crecer y vivir aislado por completo en un desierto porque la naturaleza no se lo permite. Dios nos ha creado como seres sociales. La mujer, según Génesis, fue hecha para compañía del hombre. No fue creada como un objeto de repuesto. Eso es lo que el diablo predica por los medios de comunicación. Si no le sirve la mujer que tiene, cámbiela por otra; hay de todos tamaños, colores y gustos.

Las mujeres por su parte escuchan que estas palabras son para ellas que sufren tanto y necesitan un hombre a su medida. Esto desarma las familias que normalmente tienen un proceso natural para criar sus hijos. Hombres y mujeres muerden este anzuelo y luego se separan, porque encuentran que es lo mejor que pueden hacer. PERO LOS HIJOS NO SE DIVORCIAN. LOS HIJOS SEGUIRÁN RECLAMANDO A SUS VERDADEROS PADRES NATURALES TODA LA VIDA. Los hijos de padres separados llevan una carga para siempre. Sociológicamente están marcados pues no tienen figura paterna o materna adecuada. ¿Qué culpa tienen ellos? Ninguna, pero padecen todas las consecuencias.

Pero usted me dirá: ¡eso lo hace todo el mundo! Sí, ya sé que lo hace todo el mundo y es más, está de moda, pero es la máquina más poderosa de destrucción que haya salido del taller de Satanás. EL DIABLO MIDE ASÍ. FAMILIA DESTRUIDA, HOMBRES, MUJERES Y NIÑOS DESTRUIDOS. Ahora lo invito a que siga haciendo esta progresión para las familias que se formarán en el mundo a partir de esos niños de familias destruidas. Se convencerá que solamente el diablo puede idear una cosa así para la humanidad.

Las reuniones en las casas afectan a toda la familia querido lector. La Palabra de Dios afectará en buena medida a los niños, de eso tengo sobradas pruebas. La salvación que empiezan a disfrutar los miembros de la familia se esparce como un reguero de pólvora. La libertad del pecado y el poder contra el diablo se evidencian a poco de andar y traen aparejado seguridad, comprensión y estimulo para vivir. El sentido de la vida cambia. Cuando se ama a Dios por sobre todas las cosas, recién se puede amar a los demás. Cuando se ama a los demás también se puede amar a Dios. El dinero que se gastaba en remedios, tratamientos y cuidados, el dinero tirado en malas costumbres y vicios es ocupado en cosas necesarias para los miembros de esa familia. La transformación viene desde adentro hacia afuera. Los esposos tienen un confidente infalible, Jesús. Los niños tienen un amigo amoroso, Jesús. Los momentos de gozo en las reuniones de la congregación se comparten. Las actividades para los pequeños se torna interesante. Esto debe ser el objetivo de toda prédica en las casas. Las metas son pequeños grandes logros cada día.

Conocí matrimonios que a punto de separarse han aceptado a Jesús en sus vidas y han vuelto a sonreír juntos. He conocido niños infelices y enfermos que cuando sus padres aceptaron al Rey Jesús en sus vidas, ellos fueron sanados. He visto que el propósito de Dios en el Génesis no ha cambiado a pesar de la moda del divorcio. He visto las bendiciones de Dios sobre las familias en tiempos difíciles para toda una provincia o ciudad. Eso es lo que hace nuestro bendito Jesús. Esa debe ser nuestra prédica, la del evangelio de poder que hemos recibido. No hay todavía otra manera. No hay otra salida para escapar de la influencia del príncipe de este siglo. Las familias no pueden crear por sí solas el amor que les falta de Jesús.

Nosotros seguimos teniendo el remedio. El mundo entero lo sigue necesitando. ¿Podemos proponernos en nuestro corazón hacer algo por nuestros vecinos y amigos? ¿Qué otra cosa valiosa pueden recibir los que están desesperanzados? ¿Qué otra salida tienen los desilusionados? ¿Ha visto que algunos se evaden suicidándose? ¡¡Qué manera más original de evadirse de un problema, enfrentándose a otro peor!!

¿No se propaga por todos los medios de comunicación abierta o tácitamente que el dinero es lo que trae felicidad y bienestar? ¿Qué hacen las personas para conseguir dinero fácilmente? La palabra que cabe es CUALQUIER COSA. He visto a muchos de ellos entre los gruesos barrotes de las celdas de una cárcel. Lloran desengañados, preocupados por sus familias que quedaron a la deriva. ¡¡Otra vez la familia!! ¿Quién puede hablarles de Jesús a los golpeados tan fuertemente por el diablo? ¿Quién será capaz de empuñar las armas de luz que nos ha dejado Dios para salir a buscar al más grande mentiroso de todos los siglos? ¿Quién correrá hasta la línea de batalla para derribar a Goliat? ¿Acaso no son engañados y asustados nuestros propios hermanos? Bien. EL REMEDIO, EL EVANGELIO, ESTÁ EN NUESTRAS MANOS. VAYAMOS A SUMINISTRARLO A TODOS LOS QUE ESTÉN NECESITADOS.

Esto nos trajo aparejado el siglo XX

La Iglesia de los Hechos de los Apóstoles tenía una manera poderosa de mostrarse al mundo. Sólo la vida transformadora del mensaje de Jesús podía hacer que una familia de entonces soportara la implacable persecución por causa del evangelio. Sin embargo, los milagros que se cuentan de esa fechas dan la impresión que todo el poder de los cielos se desplegaba sobre las vidas que eran tocadas en la prédica. ¿Cuál es nuestra diferencia con ellos? Ninguna. Sólo la ventaja que nosotros tenemos amplia libertad para la prédica. Pero esto se nos cuenta a nosotros como un punto en contra. Ellos carecían, por así decirlo, de tantas libertades como las que tenemos hoy día; pero había tanto poder de Dios en ellos que hacían innecesarias las palabras.

Es necesario que el evangelio de las casas vuelva a los cristianos de este fin de siglo y principio del veintiuno, a la vida del Espíritu y demostración del poder de Dios. Basta ya de las palabras. Jamás en el mundo hubo en circulación tanto material cristiano impreso. Jamás las emisoras de radio han llenado el aire como hoy, ni han tenido tantos cristianos transmitiendo mensajes. Jamás, en los dos milenios, han salido tantos hombres y mujeres por las calles de todo el mundo para decir que Cristo vive. Jamás se han comprado tantos equipos de audio para realizar campañas. Este tiempo puede denominarse LA SUPREMACÍA DE LA PALABRA. Pero es necesario que se vean los hechos que hacen realmente demostración del poder de Dios en las familias. Si viviera el apóstol Pablo volvería a escribir a nuestras iglesias: «... *EL REINO DE DIOS NO CONSISTE EN PALABRAS, SINO EN PODER*» (1 Corintios 4:20).

¿Cuándo vamos a ver en actividad fuera del templo todos los dones? ¿Cuándo vamos a ser ministrados por los cinco Ministerios dejados en el cuerpo de Cristo? NOS PREOCUPAMOS SUMAMENTE POR ASISTIR A LOS CULTOS Y ESO ESTÁ MUY BIEN. Pero, querido lector, allí no termina el evangelio. Hay mucho más todavía.

Capítulo V

SEMEJANZA DE CRISTO

El carácter es algo que muestra quiénes somos. El carácter puede asegurar, establecer o destruir tu influencia y liderazgo a largo plazo.

El carácter debe ser desarrollado caminando con Cristo con poder del Espíritu Santo a través de la Palabra de Dios. Esto requiere permanente renovación de nuestra mente, siendo dúctiles a los requerimientos del Señor para nuestras vidas. Toda la vida debemos seguir cambiando y madurando, siendo cada vez más parecidos a nuestro Señor cada día.

Tu carisma, presentación, talentos, dones, etc., atraen a la gente al principio, porque es la primera impresión. Ganas respeto, pero tu vida y tu carácter a medida que se va mostrando tiene que ir asegurando esa relación que comenzó buena. En otras palabras debes mantener la semejanza a Cristo en todo tu trato con los demás. Debes tener conciencia de que la mejor muestra de la imagen de Cristo entre los que escuchan el evangelio eres tú mismo.

Para esto no hay fórmulas, debes procurarlo en oración. Ningún estudio teológico, por bueno que sea, podrá hacer algo al respecto. SOLAMENTE TU RELACIÓN ÍNTIMA CON EL SEÑOR TE DARÁ SU IMAGEN.

La adversidad desarrolla el carácter

Todo creyente genuino se enfrentará a la adversidad con bastante frecuencia. En realidad, a veces, las personas más piadosas parecen sufrir las mayores pruebas y aflicciones. Pablo tenía una enfermedad física, 2 Corintios 12:7-10. También sufrió muchos azotes, cárceles, naufragios, asaltos de ladrones y muchos peligros, 2 Corintios 11:23-27. Job perdió a su familia, todas sus propiedades y fue afligido con una sarna maligna desde la planta del pie hasta la cabeza. Con todo, él aborrecía la maldad, Job 1:8.

Tal vez nos sentimos descontentos cuando las adversidades y aflicciones vienen a nuestras vidas mientras nos acercamos con más intensidad al Señor, pero en realidad tenemos que comprender entonces que Dios está tratando con nosotros y tiene un propósito su disciplina que seguramente será en nuestro beneficio. Ahora, el afianzamiento y desarrollo de nuestro carácter es parte del resultado que Dios espera. La vocación a la que fuimos llamados necesita personas con equilibrio, que puede reemplazarse en esta ocasión con el concepto de templanza. Todo profesional es adiestrado también en su carácter para que pueda ejercer de manera segura su vocación. Para los cristianos es válida esta comparación. Por ejemplo: Un médico ante una situación de emergencia alarmante, difícil o desesperante de un paciente que ha sufrido trastornos en medio de una operación con riesgos, debe actuar, comportarse y obrar con EQUILIBRIO en todo lo que sea de su competencia profesional. Nunca podríamos imaginarnos siquiera, a un médico que ante estas circunstancias esté tirándose de los pelos, gritando desesperado o quedándose paralizado y sin aliento. Si eso ocurriera cualquiera podría decir que esa persona NO ES COMPETENTE en su profesión. Además le quitarían su matriícula antes de que se haya dado cuenta.

Nosotros, queridos lectores, hemos sido llamados a la más alta profesión del mundo. LA PROFESIÓN DE LA FE EN DIOS. Mientras el apóstol Pablo escribía a Timoteo a quien formaba como líder le decía: «*... no te avergüences de dar testimonio de nuestro Señor, y de mí, preso suyo, sino participa de las AFLICCIONES por el evangelio según el poder de Dios, quien nos llamó con LLAMAMIENTO SANTO...*» (2 Timoteo 1:8, 9).

¿Puede aceptar esto de Dios?

«*Acuérdate de mi aflicción y de mi abatimiento,*
del ajenjo y de la hiel; lo tendré aún en memoria,
porque mi alma está abatida dentro de mí.
Esto recapacitaré en mi corazón, por lo tanto esperaré.
Por la misericordia de Jehová no hemos sido consumidos,
PORQUE NUNCA DECAYERON SUS MISERICORDIAS.
Nuevas son cada mañana; GRANDE ES TU FIDELIDAD.
Bueno es esperar en silencio la salvación de Jehová.
Bueno le es al hombre llevar el yugo desde su juventud.
Que se siente solo y calle, porque es Dios quien se lo impuso;
ponga su boca en el polvo, por si aún hay esperanza;
dé la mejilla al que le hiere, y sea colmado de afrentas.
Porque el Señor no desecha para siempre; antes si aflige,
también se compadece según la multitud de sus misericordias;
porque no aflige ni entristece voluntariamente a los hijos de los hombres»

(Lamentaciones 3:20-23, 26-33).

Quizás nunca lleguemos a entender completamente el propósito de Dios mientras estemos en una dificultad personal, un problema casi sin solución o en una prueba que parece aplastarnos. Necesitamos salir de aquella situación y pararnos desde lejos en el tiempo para poder entender el propósito de Dios, su Palabra asegura que... «*No aflige ni entristece voluntariamente a los hijos de los hombres*».

Todo en Él tiene un propósito. Bien, queda el desafío para nosotros si es que queremos ser tratados, templados y aprobados. SU PROPÓSITO ES MUCHO MÁS ELEVADO DE LO QUE NOSOTROS PODEMOS IMAGINAR. También, si no podemos ni queremos pasar por allí, NUNCA SEREMOS APROBADOS PARA NUESTRA PROFESIÓN.

Pablo reconoció esto: «... *nuestra exhortación no procedió de error ni de impureza, ni fue por engaño, sino que según FUIMOS APROBADOS por Dios, así hablamos...*» (1 Tesalonicences 2:3, 4).

Esta recomendación es valiosa: «*Procura con diligencia presentarte a Dios APROBADO, como obrero que no tiene de qué avergonzarse...*» (2 Timoteo 2:15).

¿Por qué debemos ser líderes de buen carácter?

- ✔ Para reproducir hijos (naturales y espirituales) de buen carácter.
- ✔ Para edificar a otros con el ejemplo.
- ✔ Para abrir puertas de oportunidad.
- ✔ Para no hacer tropezar a los demás.
- ✔ Porque es un requisito bíblico.
- ✔ Para dar buen testimonio mostrando la imagen de Cristo.
- ✔ Para glorificar a Cristo y agradar a Dios.
- ✔ Para no tener de qué avergonzarse.

Los requisitos de carácter están muy bien descritos en 1 Timoteo 3 y Tito 1. Observemos uno por uno para revisarlos todos.

1. ***Irreprensible***. Esto es, integridad irreprochable.
2. ***Marido de una sola mujer***. Fidelidad conyugal si está casado.
3. ***Sobrio***. Equilibrado.
4. ***Prudente***. Que no abusa de confianza y mide las cosas.
5. ***Decoroso***. Ordenado, aseado.
6. ***Hospitalario***. Que siempre está dispuesto a alojar en su casa a personas.
7. ***Apto para enseñar***. Esto habla de los ejemplos necesarios para respaldar toda exposición bíblica con la práctica en su vida misma.
8. ***No dado al vino***. Si el alcohol ejerce control sobre un líder, este nunca podrá enseñar sobre la «libertad en Cristo».
9. ***No pendenciero***. Pleitista.
10. ***No codicioso de ganancias deshonestas***. Interés económico.
11. ***Amable***. Atento, considerado.
12. ***Apacible***. Que transmite paz.
13. ***No avaro***. Tacaño.
14. ***Que gobierne bien su casa***. En este punto varios descalifican pero igual quieren trabajar en la Iglesia de Cristo y eso no es compatible. Que primero tenga a sus hijos en sujeción y sean ordenados, que la relación con su cónyuge sea ejemplar. Si esto es capaz de hacer en su casa, entonces está en condiciones de hacerlo en la iglesia.
15. ***No un neófito***. No ha de ser un converso muy nuevo.
16. ***Buen testimonio de los de afuera***. Su reputación debe ser excelente.
17. ***Amante de lo bueno***. Que cultive lo que tiene verdadero valor.
18. ***Justo***. Que tenga equidad, que sea recto.
19. ***Santo***. Que sea apartado del mal.
20. ***Dueño de sí mismo***. Que tenga dominio propio.

21. ***No iracundo***. Donde obra la ira del hombre no obra la justicia de Dios.
22. N***o soberbio***. Dios resiste a tales personas.
23. ***Administrador de Dios***. Mayordomo.
24. ***Retenedor de la palabra fiel***. Debe conocer las Escrituras y aplicar el sentido correcto.
25. ***Capaz de exhortar y convencer***. Si puede mostrar por las obras que lo que está mal se debe cambiar, será escuchado.

Creo que hay muchísimas razones más para ser líderes de buen carácter ya que cargamos con la responsabilidad de mostrar al mundo lo que Cristo ha hecho y/o está haciendo en nosotros. No podemos decirles a los demás que hagan lo que nosotros no estamos haciendo. Es famoso el dicho: Haz lo que digo pero no lo que hago. Pero la Biblia nos enseña constantemente que no se puede hablar con autoridad sobre cosas que nosotros mismos no estamos experimentando con victoria.

Hay algunas cosas que no estarían de más en los líderes:

Fiel
Servidor
Responsable
Iniciador
Íntegro
Sumiso
Trabajador
Entusiasta
Leal
Ordenado
Humilde
Diligente
Entrenable
Que ame a los perdidos
Que ame a las ovejas

Posibles defectos de carácter

En estos tiempos se ven caer ministros cristianos dc renombre, siervos respetables y hombres de los que nunca podríamos imaginar cosas como las que se ven de ellos. Estoy convencido de que ese descenso o caída no es meteórico y fugaz, sino que la pendiente de bajada tuvo que comenzar algún tiempo atrás y con cosas prácticamente insignificantes, vistas rápidamente. Pablo acostumbraba a exhortar a sus hijos que formaba como líderes a que no esperaran sentir que caen por un tobogán gigante para ocuparse de sus vidas, sino que estuvieran atentos a las cosas pequeñas que van minando la vida espiritual. Para Jesús esta situación también se resolvía mucho antes de comenzar. En su enseñanza no dijo que cuando estén sintiendo que caen vertiginosamente o cuando estén caídos procuren levantarse. Él más bien enseñó que oremos y velemos *antes para no caer en la tentación*.

Leamos un pequeño listado de cosas que pueden parecer pequeñas pero que terminarían por voltearnos del liderazgo:

- ✔ Ego
- ✔ Vanagloria
- ✔ Orgullo, soberbia
- ✔ Favoritismos
- ✔ Manipulación de personas en vez de servicio
- ✔ Aislamiento del resto por creerse exclusivo
- ✔ Toma de decisiones sin ser llevadas a cabo
- ✔ Prédica en contra de otros
- ✔ Rodearse de aduladores

Si el líder no tiene en cuenta estas situaciones en su vida, entrará en una batalla horrible, con riesgos tremendos para su futuro. Algunos pudieron restaurar su ministerio pero otros quedaron tendidos en el camino. Las personas pierden la confianza en sus palabras aunque pidan perdón.

Lamentablemente, algunas de estas nueve situaciones pueden pasar desapercibidas por mucho tiempo, pero a medida que crece su trabajo esto se vuelve una bomba de tiempo. Explota en el momento menos esperado y el daño es mayor. Debemos ser vigilantes, debemos estar velando, no tenemos que descuidarnos ni un segundo de nuestras vidas para que en oración batallemos y ganemos cada situación de riesgo que se presente. Debemos ser sinceros con nosotros mismos. Debemos mirarnos interiormente analizándonos a la luz de la Palabra de Dios constantemente, pues el peligro es muy grande.

Haga un pequeño cálculo. Es muy posible hacer favoritismos sin que nos demos cuenta de ello. Lo hacemos casi naturalmente. Es atractivo hacerse de un grupo de personas que nos adulen, que digan sí a todo lo que decimos, que nos apoyen aunque fuéramos por cualquier camino o hagamos cualquier cosa. Nadie estaría preocupado si eso ocurriera con un grupo pequeño de personas. Es más, es posible que nadie se dé cuenta de esta situación. Pero lo que parece nada en este nivel, a medida que crecemos en el trabajo se vuelve cada vez más peligroso, hasta el punto que vemos hombres reconocidos y «respetables» dejando el primer lugar porque caen estrepitosamente de un día para el otro. Lo que percibimos de lejos es que creció rápidamente y luego cayó también a velocidad, pero tenemos que darnos cuenta de que las cosas que pueden señalarse finalmente son el resultado de lo que internamente se gestaba desde un comienzo.

¿Cuál es el antídoto para estos virus?

Que estemos *vigilando, velando* por nuestra vida espiritual, siendo capaces de pararnos cuerpo completo delante de la Palabra de Dios para que al obrar como un espejo perfecto señale dónde está nuestra falla. Luego, descubierto el problema y por pequeño que sea, *orar* sinceramente con todo nuestro corazón al Señor para ser librados. Es preciso decir que el *arrepentimiento* es el paso a seguir. Luego continuar *velando y orando* que es la parte esencial de este antídoto. *Arrepentirse* y volverse del mal camino traerá la victoria final. De este modo ganaremos la guerra batalla tras batalla, triunfo tras triunfo, victoria tras victoria. EL LIDERAZGO NO ES GRATIS. TIENE UN PRECIO, YA LO COMPROBARÁ.

Transcriba las siguientes citas: Mateo 26:41; 1 Pedro 4:7; 5:8; 2 Corintios 7:9-10

Cuando hacemos un análisis de cómo cayeron los grandes imperios nos percatamos de que ninguno de ellos cayó de un día para el otro. Ninguna guerra puso fin a ningún imperio conocido de la historia de la noche a la mañana. Cada uno de estos grandes conjuntos politico-economico-sociales empezaron su desaparición estando aún en la cima. Por dentro de las estructuras se fue tejiendo el virus de la corrupción, la inmoralidad y/o la desvergüenza, hasta que una vez carcomidos interiormente se desplomaron sobre sí mismos. ASÍ SON LOS TÍPICOS PROBLEMAS DE CARÁCTER DE TODOS LOS HOMBRES Y MUJERES DEL MUNDO.

Si usted hubiera estado esa noche en la corte del rey Belsasar, cuando a su mesa también estaba sentado el profeta Daniel, hubiera visto cómo una mano gigante escribía en la pared «*Contó Dios tu reino, y le ha puesto fin. Pesado has sido en balanza, y fuiste hallado falto. Tu reino ha sido roto, y dado a los medos y persa*» (Daniel 5:27).

Usted sentado a la mesa del rey ni se hubiera imaginado que el ejército de los medopersas ya habían rodeado el palacio real y que esa misma noche el rey Belsasar sería asesinado; que además, al otro día, Darío, rey de Media tomara posesión en el mismo trono del reino.

Cualquiera pudiera creer que este rey Belsasar tuvo muy mala suerte y en la realidad no fue cosa de «mala suerte», o que una guerra puso fin a su imperio. Su reino había sido carcomido por un cáncer interior y había llevado la degradación. Dios pesó aquello hallándolo falto y al otro día Belsasar estaba muerto y Darío ocupó su trono. Tengamos cuidado, porque a juzgar por la cena que ofrecía Belsasar esa noche, nadie podría haber creído tal cosa. Sin embargo, su reino estaba desplomándose pesadamente sobre su cabeza por carecer de una óptima estructura interior.

Muchos líderes actuales parecen llaneros solitarios, no reconocen al Cuerpo de Cristo, no tienen comunión con nadie, hacen lo que bien les parece y «andan muy bien». No sea cosa que corran la suerte de Belsasar. Este rey no tuvo tiempo siquiera de reflexionar; para él estaba todo bien, y tan bien que esa noche estaba de fiesta.

Dios nos ha llamado con llamamiento santo y requiere que nuestro trabajo en el Señor no sea solamente bueno, sino que también sea santo.

LA SANTIDAD DEBE ESTAR REFLEJADA EN NUESTRO CARÁCTER.

La fidelidad es indispensable

2 Timoteo 2:2: «*Lo que has oído de mí ante muchos testigos, esto encarga a hombres* ***fieles*** *que sean idóneos para enseñar también a otros*».

1 Corintios 4:2: «*Ahora bien, se requiere de los administradores, que cada uno sea hallado* ***fiel***».

Mateo 24:45-51: «*¿Quién es, pues, el siervo* ***fiel*** *y prudente, al cual puso su señor sobre su casa para que les dé el alimento a tiempo?*»

Mateo 25:21: «*Y su señor le dijo: buen siervo y **fiel**; sobre poco has sido **fiel**, sobre mucho te pondré, entra en el gozo de tu señor*». Lee los versículos 22 al 48 y te darás cuenta de cómo usaban sus talentos y se añadían bendición o maldición. Aunque sea poca la habilidad pero si somos *fieles*, vamos a recibir más bendición.

Escriba en hoja aparte la contestación a estos interrogantes:

- Hebreos 3:1-8 Lee todo: ¿Quién fue fiel? ¿Por qué la fidelidad es tan importante?
- 2 Timoteo 2:2 ¿Cree que está bien encargar una célula a alguien que no ha sido fiel?
- Si la respuesta es no, ¿por qué?
- ¿Qué significa Proverbios 13:17?
- Lea Nehemías 9:7-8 ¿Por qué Dios escogió a Abraham?
- ¿Cómo debemos tratar a uno que no es fiel?

Personas *versus* personajes

Si tuviéramos que enumerar los ejemplos bíblicos de los personajes que protagonizaron la historia registrada en la Biblia, la lista sería inevitablemente larga pero con una característica particular, allí estarían incluidos solamente los que fueron números uno. La Biblia cuenta poco o nada de los números dos, se olvida de incluir los números tres y creo que desperdiciaría espacio y letras en los números cuatro. Los números uno son los únicos que gozan el privilegio del premio, del ser mencionados, puestos por ejemplo de los demás y dignos de ser imitados.

El libro a los Hebreos tiene una lista de personas que no solamente fueron personas, sino personajes en su época. Encabeza la lista Abel, le sigue Enoc, Noé, también está el infaltable Abraham, le sigue su esposa Sara, la que se rió de las palabras proféticas, Jacob (o sea, Israel), Moisés el Libertador, Rahab la ramera, ... «... *porque el tiempo me faltaría* (dice Pablo) *contando de Gedeón, de Barac, de Jefté, de David, así como de Samuel y de los profetas, ...*» (Hebreos 11:4-32).

Persona –según dice el Diccionario de la Lengua Española– es cualquier individuo de la especie humana.

Personaje: Sujeto de distinción o calidad.

¿En qué radica la diferencia entonces? Que ellos fueron personas simples con un Dios excepcional. Ellos no fueron seres extraterrestres, ni siquiera fueron superhombres o supermujeres. Su Dios fue excepcional y ellos entendieron como personas el lugar que les tocaba al servir a un Dios tan lleno de poder y majestad. Ellos no confiaron ni en su dinero, ni en las posesiones, ni en sus «contactos», ellos reposaron su confianza sólo en Dios. Santiago entendió perfectamente esta situación cuando escribió en su carta: «*Elías era un hombre sujeto a pasiones semejantes a las nuestras, y oró fervientemente para que no lloviese, y no llovió sobre la tierra por tres años y seis meses. Y otra vez oró y el cielo dio lluvia, y la tierra produjo su fruto*» (Santiago 5:17, 18).

Entonces ellos pasaron de ser personas cualesquiera de la especie humana a personajes, porque tuvieron un Dios incomparable. Elías oró a Dios, Abel ofreció su mejor ofrenda a Dios, Moisés habló con Dios, todos ellos tuvieron la muestra de estar cerca de Dios. Enoc fue traspuesto por Dios sin ver muerte porque era amigo de Dios.

Quepan ahora varias preguntas.

Si para Dios solamente cuentan los números uno. ¿Nosotros que hemos creído en Él tenemos estas vivencias? ¿Podemos considerarnos números uno? ¿Qué no tenemos nosotros que estos hombres y mujeres tenían?

Si su respuesta es afirmativa *¡¡GLORIA A DIOS!!* USTED ES UN NÚMERO UNO.

Si su respuesta es negativa seguramente algo no está andando bien en usted.

Algunas de las cosas en que se puede fallar como cristiano son las siguientes:

a) En que usted tiene miedo al éxito.
b) En que usted se considera indigno de ser el mejor.
c) En que usted ha sido enseñado para ser el último.
d) En que usted no sabía que a Dios le encantan las personas números uno.
e) En que usted ha idolatrado a los mejores.
f) En que usted no imita a los mejores.
g) En que usted no piensa constantemente en lo positivo.

Vamos a desarrollar cada uno de estos ítems en su vida cristiana.

a) Usted tiene miedo al éxito

El pastor y conferencista internacional Edgardo Silvoso, reconocido mundialmente por su ministerio, ha dicho en la VI Conferencia Internacional de Evangelismo de Cosecha, llevada a cabo en Mar del Plata, una definición de éxito para el cristiano:

UNA PERSONA EXITOSA ES AQUELLA QUE ESTÁ TRABAJANDO EN EL LUGAR QUE DIOS QUIERE Y COMO DIOS QUIERE.

Se deduce de la misma que si Dios le ha puesto allí, al igual que estos números uno que acabamos de enunciar, llevará la Palabra y el poder de Dios de forma notable y grandiosa. Y esto es aplicable a la tarea más modesta que se realice en cualquier campo de trabajo de la iglesia.

Aunque usted mismo no lo crea está huyendo constantemente de todo lo que parezca camino a lo grande.

Cuando se imagina alguna situación importante en lo que emprende y no puede fijarla como objetivo porque a lo mejor no llegue allí, es claro que está en camino contrario al éxito. Si ha comenzado alguna cosa en chiquito y no puede verlo hecho en grande no tiene la capacidad de la fe, entonces huye del éxito. No pretenda que «las vueltas de la vida» como le llaman equivocadamente a las cosas, vengan a darle el primer lugar en lo que está haciendo, indistintamente de cualquier actividad u ocupación que tenga.

Descubrí esto personalmente cuando una vez comenté a mi madre que estaba terminando de escribir mi primer libro, que oraba por una evangelización masiva dentro de la cárcel y que creía iba a ser tomado totalmente el penal. Me dijo: ¿Qué piensas convertirte en un gran predicador? Yo me sonreí por lo que interpreté para mí. Sentí que ella me decía, ¡CUIDADO!, no hagas así las cosas, no sea que te salgan bien y te topes con el éxito. Particularmente debo a mi madre que mi manera de pensar sea lo que vuelco en este libro, pero suelen ocurrir cosas que opacan a los más brillantes y empiezan a tener miedo al éxito.

Tener miedo al éxito significa pagar un costo muy alto en la vida y las cosas empeoran cuando somos cristianos, nosotros somos llamados a ser números 1 de forma especial. Jesús lo decía en su lenguaje: «*Vosotros sois la sal de la tierra, pero si la sal se desvaneciere, ¿con qué será salada?*» (Mateo 5:13a). La tierra toda está esperando nuestra acción de conservación de la dignidad, del ideal, de la fe, del amor (esto ahora se comercializa), de la fuerza interior, de la paz, de la victoria y también del éxito. Si esto no es así, mire lo que hacen con la sal desvanecida. «*... No sirve para nada, sino para ser echada fuera y hollada por los hombres*» (Mateo 5:13b). Cuando sienta que los hombres han comenzado a pasar por encima suyo pisoteándolo, es decir hollándolo, usted ya está desvanecido, ha sido desechado como única fuente de conservación de las cosas eternas y en una palabra, ha dejado de pertenecer al evangelio del Reino de Dios. Aunque esto parezca duro y exagerado, no se puede conseguir en la Biblia ninguna referencia que contradiga la enseñanza de Jesús de esta punzante verdad.

¡Qué particular es el evangelio! Jesús estaba diciendo el Sermón del Monte y nada más que en dos versículos anteriores a los que citamos arriba él decía: *«Bienaventurados sois cuando por mi causa os vituperen y os persigan, y digan toda clase de mal contra vosotros, mintiendo. Gozaos y alegraos, porque vuestro galardón es grande en los cielos, PORQUE ASÍ PERSIGUIERON A LOS PROFETAS QUE FUERON ANTES DE VOSOTROS»* (Mateo 5:11, 12).

Pero el versículo que sigue es la famosa comparación de nuestra vida con la sal. Él les decía entonces, ustedes pueden ser perseguidos, pueden mentir contra ustedes, pueden hacerles como a los profetas, pueden decirles toda clase de mal; PERO NO LES PERMITO QUE AFLOJEN DE SU POSICIÓN DE POSEEDORES DEL REINO DE DIOS, NO PUEDEN VENIRSE ABAJO, NO PUEDEN DEJAR DE LUCHAR Y DE GANAR, porque en el momento que cedan o en el momento que se desvanezcan van a ser echados fuera y los hombres los pisotearán.

Jesús les puso número a todos los cristianos en el versículo 13 del capítulo 5 de Mateo, y ese número es el número uno. Vosotros (ustedes) son la sal de la tierra. Vosotros (ustedes) son los números uno de la tierra. Vosotros (ustedes) son los poseedores de la victoria. Si quieren ser números dos serán echados debajo de las plantas de los pies de todos los hombres.

A cualquier hombre o mujer del mundo se le puede permitir que no sea exitoso pero no a un cristiano. Nosotros somos llamados especialmente para ser exitosos y números uno.

Ahora puede pararse frente al mismo diablo y decirle en la cara. YO SOY UN HIJO DE DIOS Y MI DEBER ES SER EXITOSO EN TODO LO QUE HAGA, POR MÁS QUE A VOS NO TE GUSTE.

El libro de los Salmos, en su primer capítulo, comienza con un increíble canto a la prosperidad, párese y léalo en voz alta y con fe.

«*Bienaventurado el varón que no anduvo en consejo de malos, ni estuvo en camino de pecadores, ni en silla de escarnecedores (burladores) se ha sentado;*

Sino que en la ley de Jehová está su delicia,

Y en su ley medita de día y de noche.

Será como árbol plantado junto a corrientes de aguas, que da su fruto en su tiempo, y su hoja no cae; Y TODO LO QUE HACE PROSPERARÁ (tendrá éxito)» (Salmos 1:1-3).

SOLAMENTE LAS PERSONAS CON ÉXITO SE TRANSFORMAN EN PERSONAJES.

Si su relación con Dios es como estas palabra del salmista, tarde o temprano llegará a ser un personaje, pero entonces en vez de tener miedo al éxito, le será algo natural, como lo fue a David.

No podemos decir que servimos al mismo Dios de David, sin ser exitosos como lo fue él.

David era un número uno.

b) Usted se considera indigno de ser el mejor

Si por nosotros fuera, nadie podría ni levantar la cabeza por el pecado y la inclinación al mal que cargamos naturalmente. Para nosotros no habría ningún tipo de esperanza si fuera que contásemos sólo con nuestra dignidad delante de Dios.

Justamente, el evangelio pasa a ser un misterio porque a nosotros, que pertenecemos a una humanidad indigna, vino uno del cielo para sacarnos de esa lamentable indignidad.

La más favorita y empleada arma de Satanás es la mentira. Cuando nosotros nos disponemos a llegar a la meta éste nos hace preguntas como éstas: ¿Qué quieres hacer ahora? ¿Piensas que eres digno de estar en ese lugar? ¿No te das cuenta de que has hecho muchas cosas feas?... ¿Ya no te acuerdas lo que eras?

Son todas ellas las clásicas preguntas del diablo cuando vamos a empezar a caminar hacia la meta. Por eso un hermano predicaba: Si el diablo te quiere hacer recordar tu pasado, tú hazle recordar su futuro.

El apóstol Pablo rogaba a los hermanos de Éfeso en su carta diciéndoles «*... os ruego que andéis como es DIGNO de la vocación con que fuisteis llamados, con toda humildad y mansedumbre...*» (Efesios 4:1). ¿Cómo podríamos los cristianos *andar* como es digno de la vocación con que fuimos llamados? ¿*Lamentando* que no podemos acceder a las cosas celestiales porque no somos suficientes para eso? ¿*Recordando* constantemente que hemos sido pecadores y que por ese motivo ahora no podemos?

El término vocación es similar a profesión o carrera en el Diccionario de la Lengua Española.

Ahora imaginemos a un médico que desarrolla su profesión *lamentándose* de que él no podrá atender a tal o cual enfermedad de su especialidad porque no se siente capaz de dar con la solución del caso. Imaginemos que este médico vive *recordando* delante de los pacientes que él tampoco sabía nada de medicina hasta que fue a la Universidad para estudiar y graduarse. Es seguro que ese médico no recibirá dos consultas del mismo paciente. Algunos saldrían huyendo de su consultorio en busca de alguien que se sienta digno de atender su caso de enfermedad.

Imaginemos un oficial del ejército que no se sienta capaz de dirigir un grupo de soldados en el frente de batalla. ¿Qué pasaría si este hombre de grados en el ejército estuviera contando todo su miedo a los soldados antes de salir a pelear? ¿Cuánto tiempo pasaría antes de ser echado del ejército?

Imaginemos ahora un cristiano que siendo hijo del Rey, un hombre o una mujer renovados, nacidos de nuevo, lamentándose de lo que antes era.

De algunos profesionales sólo nos separan unos años de Universidad, sin embargo, en la calle caminan moviéndose como un pavo real. De gente de grado en las fuerzas públicas sólo nos separan años de servicio en esos organismos y cuando tienes que hablar con ellos debes pedir audiencia muy anticipadamente, caminan de determinada manera y conservan amistades de su rango y jerarquía.

Usted vale nada más y nada menos que la sangre del Unigénito Hijo de Dios. En las parábolas que enumera Mateo dice: «... *el reino de los cielos es semejante a un tesoro escondido en un campo; el cual un hombre halla y lo esconde de nuevo; y gozoso por ello vende todo lo que tiene, y compra aquel campo. También el reino de los cielos es semejante a un mercader que busca buenas perlas, que habiendo hallado una perla preciosa, fue y vendió todo lo que tenía, y la compró»* (Mateo 13:44, 45).

Usted es el único poseedor de más de dos mil promesas que están en la Palabra de Dios y que siguen ratificadas con la firma y sello de nuestro Señor Jesucristo en el Calvario, por su muerte y resurrección. Sabiendo esto el apóstol Pablo escribía desde la prisión a los hermanos de Filipos: «... *quedar en la carne es más necesario por causa de vosotros. Y confiado en esto, sé que quedaré, que aún permaneceré con todos vosotros, para vuestro provecho y gozo de la fe, para que abunde vuestra gloria de mí en Cristo Jesús por mi presencia otra vez entre vosotros. SOLAMENTE QUE OS COMPORTÉIS COMO ES* DIGNO *DEL EVANGELIO DE CRISTO, para que o sea que vaya a veros o que esté ausente, oiga de vosotros que estáis firmes en un mismo espíritu, COMBATIENDO UNÁNIMES POR LA FE DEL EVANGELIO, Y EN NADA INTIMIDADOS POR LOS QUE SE OPONEN, para ellos ciertamente es indicio de perdición, mas para vosotros de salvación, y esto de Dios»* (Filipenses 1:24-28).

Déjeme recordarle que usted aquí en la tierra es un peregrino, que su patria es celestial y que su Señor ha ido a preparar morada para usted en la casa del Padre. Es decir, usted será su huésped de honor por toda la eternidad de los siglos en la mansión más lujosa jamás soñada por nadie en la tierra. Ahora quiero preguntarle algo mientras se contesta a usted mismo. ¿Cómo es que se siente indigno? ¿Por qué? ¿Cuáles son los motivos? A lo mejor halla muchos motivos pero puedo asegurarle que no son de parte de Dios, sino de usted mismo y son posibles de solucionar en un 100 %. El único interesado en hacerlo sentir indigno es el diablo. Puede rechazar entonces ya mismo toda influencia del infierno sobre su vida.

El diablo ya no puede arrastrarnos por el pecado, la oscuridad y las bajezas, pero tratará por todos los medios de neutralizarnos mintiendo que somos indignos. El apóstol aclara, como lo leímos arriba, que debemos comportarnos como es *«DIGNO del evangelio de Cristo, COMBATIENDO UNÁNIMES POR LA FE DEL EVANGELIO, Y EN NADA INTIMIDADOS...»*. A mí me suena muy positiva la situación del apóstol con respecto al evangelio. Creo que Pablo ponía en práctica las cosas antes de predicarlas porque anteriormente les decía *«... para que abunde vuestra gloria de mí en Cristo Jesús por mi presencia otra vez entre vosotros...»*. Yo digo que si algún pastor dijera por escrito esto a su congregación en la actualidad diríamos, este hombre tiene una absoluta falta de humildad. ¿Sabe por qué? Porque nosotros tenemos el sentido de la humildad como algo cargado de mediocridad.

Humildad significa sumisión, rendimiento. Y Pablo dio acabadas muestras de sumisión y rendimiento al Señor, aun exponiendo su vida a la muerte. ¡ESO ES HUMILDAD!

En la cita a los Efesios donde también Pablo dice rogándoles a los hermanos que anden como es DIGNO del evangelio, DIGNOS de la vocación con que fuimos llamados, con toda HUMILDAD Y MANSEDUMBRE, ... quería decir que la *DIGNIDAD* se muestra en que estamos sometidos totalmente al Señor, en que nuestra rendición a Él es incondicional.

Mansedumbre quiere decir suavidad, templanza, benignidad, moderación. La común idea de mansedumbre es la falta de fuerza. Pero uno de los más ilustrativos ejemplos de mansedumbre es el que escuché a un profesor de seminario. Él decía que un caballo grande, vigoroso y de mucha fuerza puede llevar un delicado carruaje sólo si es manso, si se deja guiar, conducir y llevar. Un animal manso no es uno que no tenga fuerzas, sino que toda su fuerza y potencia sea dócil a la conducción para ser suave en sus movimientos.

Nuestra DIGNIDAD en el evangelio debe mostrarse entonces con la sumisión y rendimiento total al Señor, siendo guiados por Él fácilmente.

Ahora, déjeme que le cuente un secreto.

La cabeza de Goliat fue cortada con su misma espada pero por la mano de David. Este gigante cometió el error de su vida, OFENDIÓ LA DIGNIDAD DE DAVID, ¿Lo sabía?

El filisteo decía: «*... ¿Para qué os habéis puesto en orden de batalla? ¿No soy yo el filisteo, y vosotros los siervos de Saúl? Escoged de entre vosotros un hombre que venga contra mí. Si él pudiere pelear conmigo, y me venciere, nosotros seremos vuestros siervos, y si yo pudiere más que él, y lo venciere, vosotros seréis nuestros siervos y nos serviréis. Y añadió el Filisteo: HOY YO HE DESAFIADO AL*

CAMPAMENTO DE ISRAEL, DAME UN HOMBRE QUE PELEE CONMIGO. Oyendo Saúl y todo Israel estas palabras del filisteo, se turbaron y tuvieron gran miedo» (1 Samuel 17:8-11).

¿Cómo no iban a tener miedo? Saúl aun siendo el ungido de Dios era un número dos. Le faltó *dignidad* de siervo de Dios, es decir, le faltó humildad y mansedumbre. Le faltó sumisión a Dios y consultó con una hechicera. Le faltó mansedumbre porque prefirió sus propias ganas que el mandato de Dios. No se puede ser número uno sin humildad y mansedumbre. Saúl no aparece en el listado de Hebreos donde se anotan solamente los números uno. Como también sería impropio que apareciera Esaú, otro número dos, que cambió la bendición de Dios transferible y heredable de su familia por un plato de comida. Él era la persona indicada para ser número uno, era el primogénito, sin embargo, Jacob fue más listo. Mostró que él era el número uno.

Los hermanos de David ocupan en la Biblia sólo la mención de sus nombres porque eran hermanos del número uno. No hay mención alguna otra vez. A ellos les llamo los números tres, ¿Cómo no iban a temblar de miedo frente al filisteo que gritaba delante de la fila del ejército de Israel por espacio de cuarenta días? Eso debe haber sido realmente un tormento para hombres de guerra porque estaban dejando caer a Israel en la vergüenza. Pero ¿Por qué el pueblo de Dios estaba siendo vapuleado? Porque tenía en el frente de batalla a números dos y tres solamente.

Finalmente llegó el número uno. David entró en el campamento, dejó las cosas que traía al que cuidaba el bagaje, corrió hasta el frente a ver a sus hermanos; mientras hablaba con ellos el filisteo salió a gritar a los guerreros, que cuenta la Biblia, huían de su presencia y tenían gran temor y cada uno de los de Israel decía: ¿No habéis visto aquel hombre que ha salido? David cortó la conversación, perdió el hilo de lo que venía diciendo y dijo en voz fuerte: «*¿Qué harán al hombre que venciere a este filisteo, y QUITARE EL OPROBIO (infamia) DE ISRAEL?, porque ¿quién es este filisteo incircunciso, PARA QUE PROVOQUE A LOS ESCUADRONES DEL DIOS VIVIENTE?*» (1 Samuel 17:26).

No podía ser de otra manera. Mientras los otros huían por el espanto aterrorizados, David se sintió tocado en su *DIGNIDAD* de pueblo escogido de Dios; sintió que la vergüenza le ponía rojo el rostro porque los escuadrones del Dios Viviente estaban temerosos de un filisteo incircunciso. La dignidad prácticamente había desaparecido de Israel en aquellos días. La falta de dignidad de los que estaban en el frente de batalla hacía que actuaran como no es propio que actúen los hijos de Dios. Eso significa indigno, actuar como no es propio.

Cuando David hizo semejante exclamación, sus hermanos se vinieron encima de él como avispas, y Eliab su hermano mayor se encendió en ira. Realmente esta es la mejor prueba que era número tres. En vez de encenderse en ira contra el filisteo que ya llevaba cuarenta días gritándole en su cara, se volvió contra uno de los suyos. ¿Esta historia no le parece conocida en la actualidad pero con cambios de personajes? Es que siempre hay muchos números tres, abundan. Eliab le gritaba a David: «*¿Para qué has descendido acá? ¿Y a quién has dejado aquellas pocas ovejas en el desierto? Yo conozco tu soberbia y la malicia de tu corazón, que para ver la batalla has venido*» (versículo 28 de la cita anterior).

Por la dignidad que tenía Eliab creo que mejor le quedaba el cargo de cuidador de ovejas. David, en vez de cuidador de ovejas debería haber estado el primer día que a este filisteo se le ocurrió gritar y provocar al pueblo de Dios. Eliab no tenía dignidad, si no hubiera hecho el intento de pelear con el filisteo aun cuando hubiera perdido quedando muerto allí mismo. Pero su actitud contra David definitivamente puso en evidencia qué clase de guerrero era; qué calidad de hijo del pueblo elegido tenía y cuán fácilmente se volvía contra sus hermanos. Los números tres suelen ser peligrosos para el lugar al que pertenecen.

David, siendo un muchacho, pastor de ovejas, sin pertenecer a los escuadrones del ejército de Saúl y sin que nadie le pidiera que fuese a luchar, sintió en lo más profundo de su ser que el oprobio que el filisteo hacía a su pueblo no podía durar 24 horas más.

Hasta hoy es fácil detectar a los números tres, así también a los números uno. Cada uno de ellos se comportan a su manera.

Usted no ha sido llamado al reino de Dios por el Señor para defender una denominación o movimiento cristiano o determinados pastores y líderes, por muy buenos que ellos sean. Querido lector, usted ha sido llamado a luchar, a trabajar, a pelear y a salir victorioso en el evangelio del reino de Dios. ¡Qué desperdicio de fuerza y tiempo es pelear cada uno desde su trinchera denominacional! David no podía ser admitido para pelear porque no formaba parte de la institución del ejército de Israel. Sin embargo, fue el único hombre capaz de sacar a toda la nación de la vergüenza y la infamia.

David primero pasó por una prueba frente a Saúl. Fue vestido con la vestidura de guerra del rey. No le preguntaron cómo iba a pelear, ya que estaba dispuesto. Seguramente los ayudantes del rey se rieron toda la noche de cómo le quedaba de grande la armadura real, teniendo en cuenta el tamaño de Saúl y el de David. El pequeño David tendría la cabeza hacia un costado con el casco que le sobraría por todos lados. Arrastraría la coraza y se enredaría con la tremenda espada que no sabía manejar. Ese mismo ridículo hacemos nosotros cuando obligamos que «vistan» como nosotros los demás. Algunos dirigentes cristianos tienen una especie de molde en sus pensamientos y si alguien quiere salir al campo de batalla, como lo hizo David, tratan de «vestirlo» y si no entra en ese molde es desechado. ¡Qué triste situación! El enemigo todavía esperaba que alguien del pueblo que servía al Dios Viviente se pusiera delante para hacerle frente, al igual que hoy mismo, mientras nos reímos y «probamos vestiduras» entre nosotros.

No debemos admirarnos de Saúl, todavía muchos siguen su ejemplo, pero ellos siempre serán los números dos. Los números uno a pesar del ridículo, salen a pelear, no soportan que el pueblo de Dios siga en la indignidad, la vergüenza y el oprobio.

Si usted hasta hoy no se sentía digno de tener victorias, en cualquier campo donde desarrolle su ministerio o don o servicio y labor cristiana, lo invito a que imite a David. Lea 1 Samuel 17.

Semejante desafío de Goliat merecía que alguien le contestara, o que un DIGNO guerrero de los escuadrones de Saúl saliera a pelear. Todos temblaban de miedo; incluido el rey. Esta vergüenza se extendió por cuarenta días. ¿Quién se dignaría a ponerle fin?

Un hombre inadecuado para esa tarea, un hombre despreciable a los ojos del ejército, de sus hermanos, del rey, de sus ayudantes, de Goliat y de todos los enemigos de Israel; pero este hombre era un DIGNO hijo de Jacob. Nunca se permitiría la indignidad. Él era un número uno. Él era David.

Jesús, mientras dice el mensaje a las iglesias en el Apocalipsis se acuerda de esto:

«*... tienen unas pocas personas en Sardis que no han manchado sus vestiduras, y andarán conmigo en vestiduras blancas, PORQUE SON DIGNAS. El que venciere será vestido de vestiduras blancas; y no borraré su nombre del libro de la vida, y confesaré su nombre delante de mi Padre, y delante de sus ángeles...*» (Apocalipsis 3:4, 5).

c) Usted ha sido enseñado para ser el último

No es mi propósito buscar culpables por no poder llegar a ser números uno en el reino de Dios, pero hay cosas «culturales o de costumbres», la mayoría de ellas transmitidas verbalmente, que hacen muchísimo daño y las adoptamos como buenas porque todos lo hacen.

El famoso cantante cristiano Marcos Witte enseñó sobre la particularidad que encontró en su pueblo. Todos hacían las cosas de Dios pa'l honra y gloria, así nomás, ¿total?, es pa'l honra y gloria. Este pensamiento parece muy difundido en América Latina.

Cuando me encargaron el trabajo con los músicos de la iglesia donde nací, lo tomé en serio y me puse a trabajar. También encontré que tocaban pa'l honra y gloria. Tocaban con instrumentos desafinados, fuera de ritmo, etc.; por supuesto era parte del trabajo que yo debía desarrollar, mejorar, perfeccionar. Al principio nadie quería aprender a tocar. Nadie quería ensayar, ellos tocaban pa'l Señor. Menos querían aprender música. ¿Para qué?, ellos ya tocaban pa'l Señor.

Empecé a caer pesado para los músicos de la iglesia y después de meses la lucha continuaba. Ellos hacían frente todo lo que podían. Pero una noche tomé delante de todos a una integrante y le pregunté con un tono de voz como para que todos escucharan. ¿Usted cree que Cristo vive? Amén, dijo, y se paró para hacerme frente como tantas veces; luego en voz más alta le pregunté: ¿Usted cree que Él es sordo? No supo qué responder y desde allí comenzó un camino de cambio para bien en todos y llegamos a concretar hermosas alabanzas con una orquesta de cámara completa para el que vive y escucha por todos los siglos.

¿Alguien podría decir a dónde vamos a llegar si nuestro enfoque del evangelio es pa'l honra y gloria o pa'l Señor? ¿Así nomás, total? ¿Qué sentido tiene entonces el hecho de que seamos poseedores del más glorioso reino del Universo? El cambio que ha operado Cristo en nuestros corazones ¿no nos permite medir sus cosas como si fuesen para nosotros mismos? ¿Qué clase de hijos somos si traemos lo que no sirve, lo que nos sobra y lo defectuoso a la presencia del Dios que nos ha dado y entregado todo? ¿Eso es reconocimiento al Señor?

Quizás usted todavía sigue bajo esa influencia corrosiva de ser el último, porque es pa'l honra y gloria, es pa'l Señor. Querido hermano no encontraremos en toda la Biblia algo que avale la mediocridad, las medias tintas, lo tibio, lo inseguro, lo inservible, lo último y menospreciable. Nunca encontraremos nada de eso en la Palabra de Dios. No se esfuerce, pues, por ser el último.

Los que hacen indolentemente la obra del Señor tienen problemas, lea esto:

«*Maldito el que hiciere indolentemente la obra de Jehová...*» (Jeremías 48:10).

d) Usted no sabía que a Dios le encantan las personas número uno

La samaritana que vino a sacar agua del pozo de Jacob sabía que cada sorbo que bebía de aquel pozo tenía una inmensa carga de historia, bendiciones y orgullo para todo el pueblo de Israel. Sin embargo, cuando apareció Jesús y le declaró todo lo que había hecho, ella empezó a reconocerlo como profeta o enviado de Dios. Seguramente esta samaritana orgullosa de los suyos habría esperado palabras de elogios para ella, por ser una descendiente y habitante de una de las provincias de Israel, aun estando en problemas internos. Nada de eso ocurrió. Jesús empezó diciéndole: «*Mujer, créeme, que la hora viene cuando ni en este monte ni en Jerusalén adoraréis al Padre, ... la hora viene, y ahora es, cuando los verdaderos adoradores adorarán al Padre en espíritu y en verdad; porque también el Padre tales adoradores busca que le adoren*» (Juan 4:21-23).

Parafraseando las palabras de Jesús, Él decía: Samaritana, ni aquí en este monte, ni allá se adorará, vendrá el momento en que los verdaderos adoradores empezarán a adorar en espíritu y en verdad. Tu vano orgullo de vivir en Samaria y de tomar agua del pozo que hizo Jacob no vale absolutamente para nada. Dios anda buscando los verdaderos adoradores porque aquí no hay verdaderos adoradores. Todo lo que hacen es una horrible pamplina delante del Padre Celestial. Tú puedes beber cuantas veces quieras orgullosa del pozo que hicieron tus antepasados, pero el Padre no está interesado en eso, Él anda buscando números uno en adoración. Alguien que sea capaz de adorar en espíritu y verdad, no como ustedes.

El Padre quiere gente que le adore con palabras y con hechos reales, desde su espíritu debe salir la adoración al cielo.

¿Sabe lo que sintió la samaritana? Sintió lo que sentiría usted si Jesús en persona visitara esta noche su templo adonde adora a Dios y le dijera: Hermano, Dios el Padre Celestial anda buscando adoradores en serio porque ninguno adora de verdad. Todos están levantando sus manos, meciéndose de acá para allá o tirados en el piso haciendo solamente una pamplina delante del que conoce los corazones y pesa cada pensamiento. Ustedes dicen que en este templo adoran a Dios, pero no será ni aquí ni allá, solamente los verdaderos y auténticos adoradores podrán adorar porque es necesario que estas personas adoren. El Padre sólo quiere los números uno y Él personalmente los anda buscando.

Por eso es necesario ser número uno ya. Los números dos nunca contaron en el reino de los cielos. A DIOS LE ENCANTAN LOS NÚMEROS UNO. Si usted cree que esto no es así, busque en la Palabra de Dios dónde el Señor mismo anda interesado en encontrar a los números dos.

Este es un paso importante para ser mejor cada día en el evangelio. Saber que a Dios le encantan las personas números uno ... y las anda buscando.

e) Usted ha idolatrado a los mejores

Quiero decirle en pocas palabras que la idolatría es algo que Dios condena, no la soporta y tiene preparado el infierno para las personas que la practican.

¡¡Quizás esté sorprendido de que esté hablando de idolatría a los cristianos!!

Se supone que los creyentes en Cristo ya han abandonado la idolatría a las imágenes, cuadros, estampas, fetiches, etc. Es verdad que cuando aceptamos al Señor y Él empieza a morar en nuestros corazones esas cosas son rechazadas de plano por su inutilidad e ineficacia al encontrar la luz del evangelio, la verdad es recién para nosotros Cristo. Sin embargo, los humanos tenemos tendencia a la idolatría de manera particular, porque cuando no podemos tener imágenes de yeso, madera, metales y estampas, hacemos idolatría de una manera sofisticada y «perfeccionada» en nuestra mente y corazón; la Palabra de Dios habla muy claramente de ella. Veamos algunas citas importantes.

Primero debemos hacer diferencia entre ídolo e idolatría. Ídolo es la figura de una falsa deidad, o una persona o cosa excesivamente amada, mientras idolatría es la práctica de adoración que se da a los ídolos.

Cuando la Palabra de Dios habla de los ídolos visibles, palpables, habla de los ídolos hechos de material. Salmo 115:4. De los ídolos de oro, plata, madera y piedra, Deuteronomio 29:17. De los ídolos que se pueden llevar y pasear, de aquellos a los que se les prende incienso. Isaías 66:3; 57:5; y Ezequiel 6:13. Algunos de los ídolos eran puesto en los lugares altos de la ciudad y caminaban tras ellos, 1 Reyes 11:5.

Pero la bendita Palabra de Dios no habla sólo de los ídolos que se pueden llevar, tallar y poner en lugares distinguidos. El profeta Ezequiel escribió: «*Vinieron a mí algunos de los ancianos de Israel, y se sentaron delante de mí. Y vino a mí palabra de Jehová, diciendo: Hijo de hombre, estos hombres han puesto sus ídolos EN SU CORAZÓN, y han establecido el tropiezo de su maldad de su rostro. ¿Acaso he de ser yo en modo alguno consultado por ellos? Háblales, por tanto, y diles: Así ha dicho Jehová el Señor. Cualquier hombre de la casa de Israel que hubiere puesto SUS ÍDOLOS EN SU CORAZÓN, y establecido el tropiezo de su maldad delante de su rostro, y viniere al profeta, yo Jehová responderé al que viniere conforme a la MULTITUD DE SUS ÍDOLOS...*» (Ezequiel 14:1-4).

En el capítulo 20:15 del mismo libro dice con amargura: «*También* (dice el Señor) *yo les alcé mi mano en el desierto, jurando que no los traería a la tierra que les había dado, que fluye leche y miel, la cual es la más hermosa de todas las tierras, PORQUE DESECHARON MIS DECRETOS, y no anduvieron en mis estatutos, y mis días de reposo profanaron, PORQUE TRAS SUS ÍDOLOS IBA SU CORAZÓN*».

Ezequiel está hablando de los principales de Israel y cómo Dios tuvo que tratar a todo el pueblo por la idolatría de ellos. Capítulos 19 y 20 completos de Ezequiel.

¿Los principales de Israel practicaban la idolatría? Sí. Ellos no tenían ídolos de madera o piedras, sino que habían puesto personas o cosas que ocupaban su corazón, bien lo dice el capítulo 14 que hemos leído.

El apóstol Pablo descubrió que a quienes él mismo había predicado el evangelio también seguían siendo idólatras, aunque ya eran hermanos.

Leamos lo que escribe en su carta a los corintios: «*Os he escrito por carta, que no os juntéis con los fornicarios; no absolutamente con los fornicarios de este mundo, o con los avaros, o con los ladrones, o con los IDÓLATRAS; pues en tal caso os sería necesario salir del mundo. Más bien os escribí que no os juntéis con ninguno que LLAMÁNDOSE HERMANO, FUERE FORNICARIO, O AVARO, O IDÓLATRA...»* (1 Corintios 5:9-11).

¡Se puede ser cristiano y también idólatra! Hay algunas citas más para analizar.

Cuando definimos a un ídolo, dijimos que era la figura de una falsa deidad o una persona o cosa excesivamente amada.

Cuando hablamos de ídolos, hallamos que también pueden ser personas, me refiero a lo que comúnmente hace el mundo; y podemos analizar un ejemplo:

Maradona se ha transformado en un ídolo para multitudes y éstas son las características:

- Él hace cosas que nadie haría y quedaría impune.
- Él gasta por día el dinero que todos sus seguidores juntos no gastan.
- Él está sobre un pedestal imaginario y nadie puede igualarlo.

Estas son, también, las características que pueden invadir nuestro corazón con respecto a cualquier persona que sea sobresaliente para nosotros. He visto hermanos que han idolatrado a su pastor, o a su líder, o a su «padre espiritual» o a quien lo ha traído al camino del Señor o lo ha engendrado en el evangelio (como diría Pablo).

Son muchos los cristianos que piensan y sienten así cuando se habla de los apóstoles que estuvieron con el Señor o de los personajes bíblicos. Hay quienes, detrás de esto, tienen preferencias muy marcadas sobre determinados escritores bíblicos. Tenemos que entender que ellos fueron distinguidos porque tenían un Dios excepcional, el mismo que nosotros tenemos, solamente que ellos estaban conscientes de eso y lo mostraron al mundo entero. Ellos no reservaron nada para la privacidad. Jesús se dio por completo y muchos siguieron su ejemplo.

Si nosotros seguimos idolatrando a los mejores, NUNCA SEREMOS LOS MEJORES.

La idolatría en todas sus formas trae la ira de Dios sobre los hombres. Nosotros no debemos idolatrar a los mejores, DEBEMOS IMITARLOS.

f) Usted no ha imitado a los mejores

Si solamente imitaran a la virgen María, madre de Jesús, y dejaran por completo la idolatría, ¿alguien podría calcular cuántas verdaderas y grandes siervas del Señor habría sobre la tierra? Creo que nadie se imagina esto, pero por cierto sería una cantidad lo bastante grande de personas. Entonces ¿qué efectos trae la idolatría?

Si se le sacara el «manto» de idolatría a María y solamente se la imitara, estoy completamente seguro que el mundo cambiaría tan radicalmente que creeríamos vivir en otro planeta. El mundo se modificaría desde adentro hacia afuera, pues todas las mujeres del mundo que idolatran a la virgen María dejarían de mirarla sobre ese pedestal, irreal e imaginario, en el que sólo ella puede estar cerca de Dios. Dejarían de mirarla a través del halo misterioso de la superstición y encontrarían a una verdadera sierva del Señor. Dejarían de sentir que esa persona está allá lejos en el tiempo, siendo irreal. La idolatría es abominación a Dios y trae consecuencias terribles sobre quienes la practican porque viene sobre ellos el juicio de Dios.

¿Qué pasaría entonces si en vez de idolatrarla la imitaran?

La verdad es que no se puede saber qué pasaría con el mundo. Las mujeres estarían tan consagradas a Dios que tendrían comunión óptima con Dios como la tenía María. Se imitarían su prudencia, castidad, testimonio entre los hombres. Podrían guardar las cosas de Dios en su corazón, aunque no las entiendan, hasta ver la fidelidad de Dios. Tendrían comunión con las otras personas que hicieran lo mismo, como María y Elisabet. A este punto solamente ya desconoceríamos el mundo como mundo. Las personas tendrían un excelente conocimiento de la Palabra de Dios. Serían personas de fe, de confianza en las promesas de Dios. ¿Cuántas otras cualidades de María serían puestas en evidencia? María fue una persona de carne y hueso como nosotros. Entonces es posible hacer lo que ella hizo. María no fue excepcional, sino que María tenía un Dios excepcional. El mismo Dios que es nuestro Dios ahora mismo. ¿Se da cuenta lo que pasa con la imitación?

Imaginemos qué habría pasado si todo el pueblo de Israel que caminó por el desierto con Moisés hubiera imitado a ese siervo de Dios. En vez de hacerlo renegar, sufrir, llorar y gemir, todo Israel salido de Egipto habría llegado a la tierra que Dios les había prometido y entregado. Mas uno de sus siervos sí se tomó el trabajo de imitar a Moisés, Josué, así llegó a ser un personaje de la historia y el libro de Hebreos incluye su hazaña de derribar los muros de Jericó después de rodearlos y gritar. ¡Eso es imitar la fe!

Podríamos llenar varios libros dando ejemplos de lo que pasa con la imitación.

El apóstol Pablo conocía perfectamente este medio para ser número uno y lo puso en práctica; él imitó a Jesús, escribió a los hermanos de Corinto abiertamente: «*Sed imitadores de mí, como yo de Cristo*» (1 Corintios 11:1). ¿Cómo hacía Pablo para imitar a Jesús? Oraría de noche como oraba Jesús. Caminaría largas distancias sólo para ver a un necesitado. Enseñaría con la autoridad de los ejemplos y predicaría con tanto fervor como lo hacía Jesús. Varias veces se habría hecho la misma pregunta: ¿Qué habría hecho Jesús en este caso? Y según la respuesta de qué es lo que habría hecho Jesús, trataría de hacer exactamente igual. Eso es imitar.

Uno de los ejemplos bíblicos de imitación que realmente me ha sacudido es el caso de Elías y Eliseo. Elías golpeó las aguas del Jordán y se apartaron a uno y otro lado, pasaron Elías y Eliseo en seco. Había allí cincuenta personas mirando lo que sucedía. Ellos eran espectadores y testigos a la vez de lo que estaba pasando. Pasaron los dos y Elías fue arrebatado al cielo en carro de fuego. Cayó el manto de Elías y Eliseo lo tomó y se volvió al Jordán que ya estaba cerrado, pues corría el agua nuevamente. Eliseo golpeó las aguas con el manto y dijo: «*¿Dónde está Jehová, el Dios de Elías? Y ASÍ QUE HUBO GOLPEADO DEL MISMO MODO LAS AGUAS, se apartaron a uno y otro lado, y pasó Eliseo*» (2 Reyes 2:9-15). Las cincuenta personas que estaban del otro lado del Jordán, o sea Jericó, dijeron: «*El espíritu de Elías reposó sobre Eliseo. Y vinieron a recibirle, y se postraron delante de él*» (versículo 15). Es demasiado evidente que del mismo modo golpearan Elías y luego Eliseo las aguas para que se separaran y dejaran camino en medio de un río como el Jordán.

¿Qué efectos tiene la imitación? ¿Por qué el apóstol Pablo escribe sobre ella diez veces en todas sus cartas? ¿Por qué el apóstol Juan también hace mención? PORQUE ES LA ÚNICA MANERA DE SER MEJORES.

Esta acción de imitación irrita sobremanera al diablo. Varias veces vino a predicarme dudas diciéndome burlonamente: ¿Crees que eres Moisés? ¡Oh! ¡Ya pareces Felipe predicando! Ese es el momento que aprovecho para resistirlo firmemente en el nombre de Jesús, a quien también imito personalmente. Pablo lo encarga de esta manera: «*Sed, pues, imitadores de Dios como hijos amados. Y andad en amor...*» (Efesios 5:1-2).

Pablo no sólo escribió que lo imitaran a él, sino más bien decía que busquen a los que mejor se conducen y también los imiten. Daba un sentido de continuidad y actualidad para todas las generaciones de creyentes que quieran ser números uno, imitar, imitar, imitar.

A los hermanos de Filipos escribió: «*Hermanos, SED IMITADORES DE MÍ, Y MIRAD A LOS QUE ASÍ SE CONDUCEN SEGÚN EL EJEMPLO QUE TENÉIS DE NOSOTROS*» (Filipenses 3:1).

Lamentablemente Pablo se estaba refiriendo a «los que andan por ahí» que parecen cristianos pero que en la realidad son enemigos de la cruz de Cristo. ¿Cómo iban a escapar del engaño los de Filipos? IMITANDO A PABLO Y A TODOS LOS MEJORES.

¿Qué es imitar? Imitar es ejecutar una cosa a semejanza o ejemplo de otra. Entonces queda claro que Eliseo imitó a Elías en cuanto tuvo que cruzar el Jordán nuevamente. Pablo imitó a Jesús en cuanto a la prédica, oración, visión, entrega y autoridad. Imitemos también nosotros a los mejores porque así seremos cada vez mejores.

Ahora ya no está Pablo para que podamos imitarlo en su accionar. ¿Cómo lo hacemos? El autor de la carta a los Hebreos escribió: «*Acordaos de vuestros pastores, que os hablaron la palabra de Dios; CONSIDERAR CUÁL HAYA SIDO EL RESULTADO DE SU CONDUCTA, E IMITAD SU FE*» (Hebreos 13:7).

Mi abuelo materno también se llamaba Marino y era un hombre de fe, un hombre de Dios. En cuarenta y ocho años de ministerio plantó sesenta iglesias en todo el Noroeste argentino. Uno de los tantos testimonios de su fe era que se habían quedado en una playa de arena de un río, por ir a predicar el evangelio y una rueda del auto estaba pinchada. No había manera de levantar el auto porque todo lo que ponía debajo para levantarlo quedaba enterrado. El problema después de horas no tenía solución. Este hombre se puso de rodilla frente al auto, oró a Dios muy sencillamente pero con fe, se levantó, le dio un puntapié a la rueda y esta se hinchó. Pudieron salir enseguida de aquel lugar. Sin embargo, para mi asombro, los colaboradores más cercanos a él tuvieron siempre un sentido de admiración y expectación a lo que él hacía, nadie trató de imitarlo. De otra manera ¿cuántos hombres de fe hubieran salido de la par de él?

Imitar es como duplicar. Hacer algo semejante a lo que ya se hizo. Quisiera, personalmente, estar a la par de Mottesi, Billy Graham, David Cho, no tan sólo para sentarme a escucharlos hablar y predicar, ya que todos ellos lo hacen muy bien, sino para imitarlos. Para tener a quien copiar.

Hay pastores en la ciudad a quienes he visto personalmente orar y ayunar muchos días buscando al Señor, algunos hasta cuarenta días, y eso me parece digno de copiar, de imitar y ponerlo como parte de mi práctica cristiana. Cualquier cosa que sirva para bien debe ser anotado en la lista para imitar.

¿Sabe usted que lo malo también se imita? Algunas veces cuando se ha llamado la atención a alguien enseguida dijo: ¿No vieron a tal persona que también hace lo mismo o peor? ¿Por qué no le dicen primero a él? Querido lector, ¿se da cuenta que una persona ha estado imitando a otra, pero desgraciadamente en lo malo? El apóstol del amor, como suelen llamarlo a Juan, escribió: *«Amado,* (te dice a ti), *NO IMITES lo malo, sino (IMITA) lo bueno. El que hace los bueno es de Dios; pero el que hace lo malo, no ha visto a Dios»* (3 Juan 11).

Ser ganador, triunfador o vencedor en el reino de Dios no es una excepción, es la regla; y para llegar a esa meta necesitamos evaluar a los que están alrededor nuestro, no para juzgarlos ni idolatrarlos, SINO PARA IMITARLOS.

DEBEMOS IMITAR EL BIEN. De lo malo ni siquiera nos debemos acordar.

Esta es la única posibilidad para ser número uno. DEBE EMPEZAR A IMITAR.

g) Usted no piensa constantemente lo mejor, lo positivo.

Seguramente, leyendo las líneas anteriores, se habrá dicho para sus adentros: Yo puedo saber quiénes son los mejores, pero no puedo imitarlos. ¿Por qué siempre decimos no puedo? Porque constantemente pensamos en la imposibilidad, en lo negativo y feo. Si pudiéramos sacar de nuestro vocabulario las palabras negativas, cargadas de inseguridad, de vacilación y duda, nosotros seríamos capaces de inventar otras palabras que digan lo mismo para seguir pegados a lo negativo.

No confunda lo que estoy diciendo con el léxico de la *Nueva Era* ni del exitismo actual. Nada de eso inspira mi interés en la aplicación de lo positivo a nuestra vida. Estoy fundamentándome en la Palabra de Dios donde enseña que los pensamientos con los cuales alimentamos nuestra mente y que constantemente los expresamos verbalmente, sean POSITIVOS en su totalidad. En la epístola a los filipenses dice explícitamente «... *todo lo que es verdadero, todo lo honesto, todo lo justo, todo lo puro, todo lo amable, todo lo que es de buen nombre; si hay virtud alguna, si algo digno de alabanza, en esto PENSAD*» Filipenses 4:8

¿Por qué quiere el apóstol que los hermanos fijen sus pensamientos en las cosas positivas, constructivas y dignas? Porque eso contribuye a la paz interior de cada persona. Después de la afirmación de esos pensamientos Pablo mismo vuelve a referirse a la imitación. «*Lo que aprendisteis y recibisteis y oísteis y visteis en mí, esto HACED; y el Dios de paz estará con vosotros*» (Filipenses 4:9).

No cabe duda, lo positivo no es propiedad del léxico de la *Nueva Era*. La inspiración divina de la Palabra de Dios contiene muchísimas enseñanzas que de una manera u otra nos hacen caer en cuenta sobre las cosas que pensamos. Parte del velar como cristianos, como elemento que nos impide caer en tentación, debiera ser vigilar, velar y observar cómo pensamos, qué pensamos y qué hablamos cada minuto de nuestros días.

Hasta cómo debiera ser nuestro modo de pensar está plasmado en la Biblia. El apóstol Pablo dice: «*Hermanos, no seáis niños en el modo de pensar, sino sed niños en la malicia, pero maduros en el modo de PENSAR*» (1 Corintios 14:20).

Los cristianos estamos obligados a ser números uno en este mundo. ¿Lo ha olvidado? Todo, absolutamente todo lo que hacemos, cómo pensamos, qué decimos y qué queremos debe estar alineado a las leyes del evangelio del reino de Dios. Entonces debemos hacernos a la idea de ser números uno sí o sí, no hay opciones. De otra manera estaríamos mostrando que únicamente nos interesa pasar la vida lo mejor que podemos, adaptando lo que queremos y nos gusta del evangelio para nuestro provecho con total egoísmo. Dios no quiere ni acepta tales personas. Él nos quiere de cuerpo completo. Toda nuestra vida. Todo nuestro ser, incluido nuestros pensamientos, pues a Él le agradan solamente los números uno.

Capítulo VI

EN EL PRINCIPIO

En el principio Dios tenía en mente la familia. Creó al hombre y seguidamente estuvo tratando de encontrar una compañera idónea para él en la naturaleza pero no fue hallada, de modo que fue creada la mujer.

Todos los seres humanos del mundo nacen de una relación de un hombre con una mujer y es necesario apuntar que este núcleo o unión de dos personas llamado matrimonio es el puntal y sostén de una familia. La prueba de que esta unión es tan importante para la familia es que cuando no se dan esas condiciones los nuevos habitantes del planeta tienen graves inconvenientes.

Este núcleo básico debe estar afirmado sobre sólidos conceptos para que lo que se construya después no se desplome a la primera dificultad seria.

En la actualidad, la propaganda en todas sus formas está orientada a romper ese núcleo; la impresión, para quien analice los mensajes dados en contra del matrimonio, es que existe una conspiración satánica a nivel mundial en todos los órdenes sociales para bombardear mortalmente el núcleo básico llamado MATRIMONIO.

A pocos novios que van a casarse se les habla bien del matrimonio, aun entre cristianos. Las famosas cargadas y bromas para esas ocasiones muestran que la concepción del matrimonio todavía entre cristianos no es diferente que la del mundo. ¿Cómo pensamos que pueda haber posibilidad de bases firmes para una de las decisiones más comprometidas de la vida como lo es el matrimonio? ¿Hay alguna asistencia de la iglesia especialmente dirigida a las jóvenes parejas que quieren casarse? ¿Por qué no tomamos en cuenta esta situación con el peso que tiene?

Los cristianos debiéramos valorar con conceptos bíblicos lo que es la FAMILIA. La familia es el cimiento del ser humano. Antes de las naciones y de las iglesias.

Si no hay éxito en las familias, no vamos a tener éxito en la iglesia. Si no hay éxito en la iglesia, NO PODEMOS LLEVAR EL MENSAJE DE LAS BUENAS NUEVAS AL MUNDO, y nosotros somos los responsables. Véase en Mateo 5: 13, 14.

La familia del líder refleja en realidad su éxito como ministro. Allí, en familia, la vida cristiana se vive las 24 horas.

Algunos piensan que es lo mismo tener o no una familia bien constituida, pero la Palabra de Dios nos afirma que si no podemos hacer esto, tampoco podremos hacer las cosas que corresponden a la iglesia. El tema de la familia no es opcional. Debemos ser ejemplos en esa área.

Tú como líder vas a encontrar muchas oportunidades de ministrar a las familias, por eso debes mirar dentro de tu casa cuál es la situación. Necesitas no solamente tener tu propia familia en orden, sino tener respuestas para los demás. Ese es el punto donde las palabras deben reflejar lo que vives.

A los casos complejos debes tratarlos adecuadamente, si es posible junto al pastor de la iglesia.

Alimenta la buena comunicación

El antídoto más efectivo contra problemas futuros y potenciales en el matrimonio es la COMUNICACIÓN.

La comunicación puede ser mala, mediocre o excelente, pero en todos los casos es posible mejorarla. ¿Cómo? alimentándola.

Si uno se ocupa de analizar durante unos días cuándo es el momento más lindo para la comunicación, quizás dónde o en qué circunstancias se produce el mejor momento de comunicación entre el matrimonio y los hijos, puedes luego ALIMENTAR con todo lo que contribuye a esa relación.

Personalmente descubrí que la vida de familia puede ser «llevada» de mejor manera cada vez, si se reúnen cada vez a propósito los elementos que alimentan la comunicación.

Durante la semana mis hijos esperan ansiosos el momento en que pueden compartir «juntitos» como ellos denominan al hecho de pasar varias horas caminando, jugando, riendo y comiendo en familia. A veces, salíamos al campo, otras caminábamos hasta una plaza próxima o pescábamos en un arroyo. El tema central era la comunicación. Allí aprovechábamos el tiempo orando, recordando alguna historia bíblica o una plática sobre temas de interés. Creo que jamás se borrarán esos recuerdos en ellos. Tal como recuerdo esos momentos con mis padres, son cosas que no pueden olvidarse nunca y... ¡¡¡Qué bien hacen!!!

Quizás estás pensando que la comunicación con tu familia no tiene lo que te gustaría, pero seguro que podrás descubrir, si analizas la situación, cómo alimentarla. Lo alentador es saber que puede mejorarse cualquier comunicación sólo ALIMENTÁNDOLA cotidianamente.

Capítulo VII

EL LÍDER SOLTERO

Se puede decir sin ninguna duda que los mejores consejos para líderes solteros tienen casi 2.000 años. Pablo escribió a Timoteo cartas de incalculable valor, y a Tito una donde manifiesta las verdades del evangelio con meridiana claridad y la relación que existe entre el líder y sus dirigidos. Ninguna recomendación de este preparador de líderes ha sido desaprovechada. Sería casi imposible transcribir toda la enseñanza apostólica con detalles, pero será beneficioso analizar algunas de ellas para tomar su esencia. Veamos ahora sólo una.

En el capítulo 4 de la primera carta a Timoteo, mientras menciona a los engañadores e hipócritas que vendrían, aprovecha para darles firmeza en la doctrina de Cristo sobre una base muy sólida: la demostración de una vida piadosa en todos los sentidos. En el versículo 6 ya se dirige a su amado hijo Timoteo con indicaciones específicas que sería muy bueno leerlas detenidamente en la Biblia. En el versículo 12 hay algo que resalta mucho; dice este apóstol: «*Ninguno tenga en poco tu juventud...*». Pienso que Timoteo al ser joven y tener la responsabilidad de llevar la conducción de la iglesia de Éfeso sabría lo difícil que sería poder recibir aprobación de quienes él mismo dirigía. Esta situación no se solucionaba con buenas prédicas, sermones bien bosquejados o enseñanzas largas y tediosas, aparentando mayor conocimiento. LA DIRECCIÓN DE LA IGLESIA DEPENDÍA EXCLUSIVAMENTE DE LA CALIDAD DE VIDA ESPIRITUAL DE TIMOTEO. Sus actitudes, su conducta, su manera de hacer y tratar las cosas eran las muestras claras de una vida consagrada a Dios completamente. El que discipulaba a Timoteo escribió estos acertadísimos consejos «*... sé ejemplo de los (fieles) creyentes en palabra, conducta, amor, espíritu, fe y pureza*» (versículo 12).

Ser ejemplo es la mejor prédica. Es la muestra irrefutable del compromiso de vida cristiana hecha realidad. Es también la manera de mostrar que es posible predicar y vivir el evangelio. El ejemplo es lo que se imita, lo que conduce a buenas obras, lo que beneficia realmente a los demás. Estamos hablando siempre de los buenos ejemplos.

Alguien dijo: ¡¡Cállate!! Tus hechos no me dejan escuchar las verdades que dices. También se dice que nuestros hechos hablan mucho más elocuentemente que nuestras palabras. Las palabras solas no alcanzan cuando tenemos el lugar de líder. Deben ser vistos nuestros hechos conforme a lo que proclamamos. Si esto no es así, nuestra relación con los que nos escuchan será al fin un completo desastre.

El líder de líderes, Jesús, proclamó el amor de Dios diciendo: «*Porque de tal manera amó Dios al mundo, que ha dado a su Hijo Unigénito...*» (Juan 3:16); pero esto no quedó en palabras. Su proclama tuvo que ser vista o hecha realidad. No servía de nada su prédica, sus palabras muy ciertas, sus parábolas y comparaciones; debía llegar el momento de los hechos concretos y reales demostrando lo que había anticipado con la predicación. Jesús tuvo que ir a la cruz y pasar por el trago amargo de la muerte para expiar los pecados y hacer posible la salvación para todos los hombres. Eso es lo que hace un líder. Predica y vive lo que predica. Esa es la recomendación hecha a Timoteo para que sea un ejemplo vivo, real y tangible de una vida consagrada a Dios, entregada a Él. Que eso predique y enseñe. Que exhorte y reprenda con autoridad, con la autoridad del ejemplo, le recomendaba Pablo.

¿No le parece maravilloso?

Quizás tenga la idea de que algún libro, estudio, seminario o cualquier otro tipo de preparación le dará autoridad para poder guiar a otros en la vida cristiana. Puedo decirle honestamente, nunca espere como líder soltero, joven o no, poder tener autoridad por lo que haya aprendido leyendo. Solamente podrás estar en condiciones de ser un líder con autoridad si eres un ejemplo constante. Entonces nadie tendrá en poco tu juventud. Todos irán donde te propongas llevarlos si tu vida es igual o mejor que tu prédica. Entonces no tendrás que hacer carteles y pegarlos en las paredes como lo hacen muchos jóvenes en las iglesias; ellos escriben NADIE TENGA EN POCO TU JUVENTUD, pero no dan el ejemplo en las cosas concretas de la vida cristiana que son jóvenes a quienes no se les puede tener en poco. Es mejor dar el ejemplo y luego como resultado será el hecho que NADIE TENDRÁ EN POCO TU JUVENTUD.

He visto siempre una particularidad. Mientras en el mundo secular la juventud va ganando terreno en todos los ámbitos de la vida pública, política, económica, social, educativa y deportiva, en el pueblo cristiano los jóvenes parecen brillar por su ausencia. ¿En toda la historia del cristianismo habrá solamente dos jóvenes líderes de ejemplo y carácter? Me resisto a creer que solamente el podio de los jóvenes líderes y solteros sea para Tito y Timoteo. ¿NO HAY JÓVENES DISPUESTOS A SEGUIR SUS EJEMPLOS AHORA? ¿Qué es lo que les pasa a los que tienen fuerza, empuje, ideas, dedicación y el tiempo para servir al Señor con todo su ser? Algunos dicen, ya me casaré y será distinto. ¿Sí?..., ya sé que será distinto. No tendrás todas las posibilidades que tienes ahora cuando estás soltero. No tendrás todo el tiempo que quieras porque tendrás otros compromisos. No tendrás un tema en tu cabeza, sino muchos para tener en cuenta y entonces será imposible hacer lo que haces siendo soltero.

Puedo contarte que he disfrutado mi soltería como pocos lo han hecho. He sido líder de jóvenes desde que tenía trece años. En la iglesia donde nací había siempre actividad coral y cuando pasamos del grupo de los niños al grupo intermedio entre jóvenes y niños, éramos aproximadamente sesenta chicos entre los 13 y 17 años. Allí fue mi inicio. Ensayaba el coro por voces y luego teníamos todo el tiempo para organizar actividades. ¿Sabe cuánto disfruté todos esos años? Me casé cuando tenía 22 años, así que varios años de soltero lo pasé de la mejor manera, siendo líder. Pero eso tiene un precio, hay que ser ejemplo. Hay que demostrar que no solamente somos capaces de disertar acerca de algunas cosas que entendemos, sino que somos capaces de llevar a la práctica cualquier cosa que se llame buenas obras. Eso es ser líder. Eso sirve para predicar con autoridad. Tenía en el grupo chicos más grandes que yo en edad. Tenía 13 y había muchachos de 17 años.

¿Cómo hacía para guiar al grupo? ¿Qué métodos tenía que emplear para que me acompañaran en las cosas que proyectaba? Pues siempre era el primero. El que llegaba antes; me cambiaba de ropa antes que todos y ya estaba trabajando, mientras que los que venían entraban como si fuera «tarde» al trabajo. Si había que participar en juegos, yo era el primero y el más payaso de todos, como uno más de ellos. Si llegaba el momento de seriedad para tratar algún tema o para los ensayos largos y tediosos que duraban largas horas, por supuesto, era el más serio y reprendía duramente al que estaba bromeando fuera de lugar. Si viajábamos, delegaba los trabajos que correspondían a quienes me ayudaban, pero el trabajo que tenía que hacer personalmente debía hacerlo con cuidado y responsabilidad. En distintas ocasiones viajamos cincuenta o sesenta jóvenes por varios días en distintas provincias; era muchísima responsabilidad. En fin, disfruté mi soltería todo lo que pude. Siempre fui reconocido por los demás, pero no porque imponía cosas arbitrariamente ni porque hablaba bonito, sino por lo que hacía. No tuve necesidad de exigir ningún tipo de reconocimiento. Al contrario, siempre me daban el lugar que correspondía, porque los hechos eran muy evidentes. Creo que nadie tuvo en poco mi juventud.

Parece que pocos se atreven a tomar en serio las cosas siendo jóvenes. Ser líder soltero significa mostrar *responsabilidad*, con todas las letras. Ser un joven irresponsable no cuesta nada. Sólo es necesario no comprometerse en nada que requiera responsabilidad y nunca asumirá responsabilidad. Pero si no te responsabilizas de nada, NUNCA SERÁS NADIE. Cuando llegue el momento de las responsabilidades en la vida como el matrimonio y el trabajo para el sustento, ¿qué harás? El tiempo pasa mucho más velozmente de lo que nosotros imaginamos.

Ahora una pregunta: ¿Estás dispuesto a ser líder soltero? Si tu respuesta es afirmativa, estás a punto de comenzar una aventura fascinante. Si tu respuesta es negativa, analízala cuidadosamente de nuevo; no te pierdes la tremenda posibilidad de ser líder soltero para llevar almas a Cristo y conducirlas en la vida cristiana de manera segura y atinada.

Expectativas

Quiero volver sobre lo que estábamos leyendo en la primera carta que escribe el apóstol Pablo al líder de la iglesia de Éfeso (1 Timoteo 4:12).

El apóstol le pide que, en primer lugar, sea ejemplo en palabra. Esto significa lisa y llanamente que Timoteo no podía decir cualquier cosa y luego olvidarse de ello por completo. Si él decía: Mañana tenemos oración a las 6:30 de la madrugada, él era el primero en llegar y estar orando ya a las 6:15. Nadie debía esperarlo, nadie tendría que preguntar por él, porque ya estaba allí en actividad. Nadie tendría que preguntarle y recordarle varias veces esa noche anterior que debía levantarse con suficiente tiempo como para llegar a horario a la reunión de oración.

La palabra de Timoteo, ordinariamente, debía ser un documento para la iglesia de nuestros hermanos en Éfeso. Timoteo decía algo y debía mantenerlo a costa de lo que fuera en horarios, fechas, disposiciones, etc.

Imaginemos qué pasaría si no cumples con tu palabra para realizar las cosas, si dices a los hermanos de la célula, mañana tenemos que visitar a tal enfermo a las 18:30 horas. Ya son las 18:45 horas del otro día, todos los hermanos que escucharon el horario están esperando hace diez minutos en el lugar, finalmente hacen el trabajo solos y cuando vuelven a casa les dicen que a las 19:00 horas llamó el líder diciendo que no iba a poder hacer la visita. ¿Sabes el efecto que provoca? La falta de palabra es lo que destruye de manera sistemática las relaciones en una célula. Quizás puedan dejarte pasar una docena de veces, y así se acostumbren a tu falta de palabra; nunca serás reconocido como líder ejemplar para nada. Quizás tengas la capacidad de organizar las cosas a la perfección. Puedes exponer tus ideas con claridad y puedes mostrar cuantas virtudes tengas, pero si no tienes UNA PALABRA EJEMPLAR, no irás a ningún lugar con el grupo que diriges.

La palabra tuya vale muchísimo en un grupo de célula. Si acostumbras a despachar comentarios o anécdotas o cosas que no sean de edificación, eso mismo cosecharás de tu célula. Tu palabra debe ser un documento en cuanto a firmeza y también debe estar sazonada con sal; lee detenidamente esta cita. «*Sea vuestra palabra siempre con gracia, sazonada con sal, para que sepáis cémo debéis responder a cada uno*» (Colosenses 4:6). Esto indica que tu palabra es importante y que normalmente no se sabe el alcance que pueda tener. Nuestras palabras terminarán haciendo de nosotros lo que somos. Busque y lea estas citas. Proverbios 15:1; 14:23; 16:20; 24:26; 25:11.

La conducta de Timoteo, en segundo término, debía también ser ejemplar. La conducta es el porte o manera con que las personas gobiernan su vida y dirigen sus acciones.

Si tienes una conducta irresponsable o indolente para con las necesidades, debes esperar cosechar lo mismo del grupo que lideras.

Si tienes una conducta abúlica, es decir, con falta de voluntad para hacer las cosas, siempre encontrarás la manera de postergar tus acciones en el grupo y esto resultará en improductividad total. La disposición para las cosas y el trabajo en especial deben ser óptimas. Has de tener equilibrio para mantenerte consecuentemente.

Puedo afirmarte que toda conducta tuya será imitada y seguida por el grupo de célula. Indefectiblemente todos tendrán a la vista el modelo de cómo ser y qué hacer ante las cosas porque eres el modelo de ellos.

Se esperaba que Timoteo hiciera lo mismo que había visto hacer a su líder, el apóstol Pablo. Y si Pablo le escribe que él sea el ejemplo en palabra, conducta, amor, espíritu, etc., era porque Pablo mismo le había dado muestras irrefutables de que esto era posible hacerse. Es más, Pablo mismo vivía y obraba en esa misma conducta ejemplar, la que le pide a Timoteo que muestre.

A menos que tu conducta sea intachable nunca tendrá suficiente autoridad tu enseñanza para guiar a otros en la vida cristiana. Medita todo lo que creas suficiente al respecto, no te quedes con la duda si esto es o no así.

Pablo incluye en la lista de ingredientes y componentes de la vida del líder algo casi indescriptible: el amor.

Pablo trató el tema en 1 de Corintios capítulo 13, pero creo que le quedaron algunas cosas en el tintero por que el amor es algo que no se puede terminar de describir totalmente con palabras. Es amplio sobremanera. Lo que sí podemos apuntar una vez más es que sin esta vida ejemplar de amor no se puede esperar mucho en la vida de los que escuchan la Palabra de Dios y deben ser guiados en el evangelio de Cristo. El amor es una cualidad indispensable del líder, pero no basta con algunas expresiones galantes de amor por parte de este, debe haber EJEMPLO DE AMOR en la vida del líder.

El mismo apóstol del amor, como le llaman a Juan, escribió conceptos muy lindos y elocuentes acerca del amor, sobre todo el amor que tuvo Jesús. Pero cuando habla del amor en nosotros y lo que Dios espera que haya en nuestras vidas, el amor deja de ser un sentimiento, un deseo o simple palabrería. El amor que Dios aprueba en nosotros es un amor práctico, tangible, concreto, de hechos reales y cosas que hablan acerca de nuestro amor.

Juan escribió lo siguiente: «*En esto hemos conocido el amor, en que Él; puso su vida por nosotros; también nosotros debemos poner nuestras vidas por los hermanos*» (1 Juan 3:16). En pocas palabras quiso decir que Jesús si no hubiera puesto su vida, un hecho real, concreto y tangible, no hubiera tenido manera de demostrar su amor. La prédica de Jesús acerca del amor hubiera sido un fiasco si al llegar el momento de poner su vida, se hubiera vuelto atrás.

Para nosotros: ¿Cómo se demuestra nuestro amor por los demás? Seguramente que no es hablando, sino haciendo, entregando, dando, compartiendo, ayudando concretamente, y finalmente poniendo nuestras vidas. De otra manera NO HAY AMOR. Dos versículos más abajo de la cita última dice: *«Hijitos míos, no amemos de palabra ni de lengua, sino de hecho y en verdad»*.

Por esta aplicación práctica de amor en la vida del líder, los demás sabrán perfectamente que él los ama. Pero hay algo más. A todos los cristianos se nos pide esta condición, amar demostrando con hechos concretos, pero al líder se le pide una cosa extra, que ese amor sea EJEMPLAR. Lo meritorio entonces no es el hecho de que el líder ame como los demás, sino que su amor sea un ejemplo constante y visible, digno de imitar.

Esto me gusta muchísimo. Pablo incluye el espíritu. El espíritu con que se hacen las cosas. Qué tremendo es ver trabajar arduamente algunas personas pero sólo para ser «la contra» de alguien que desde otro lado está tratando a duras penas de hacer algo en favor de una causa noble.

Si se pudiera analizar con que espíritu hacemos cada cosa nos daríamos cuenta «con qué sentido» las hacemos. Pablo también sabía que había quienes predicaban el evangelio sólo para causar dolores a él mismo. Había otros que lo hacían por ganancias deshonestas, otros por vanagloria, otros por contiendas, otros por envidia. Filipenses 1:15; Tito 1:11; Filipenses 2:3.

El espíritu con qué se hacen las cosas es lo que impulsa y puede mover a trabajar incansablemente a las personas. Un espíritu ejemplar, como se le pedía a Timoteo debía ser un espíritu altruista normalmente. Sin prejuicios, sin acepciones, sin favoritismos, sin celos, sin sospechas de ningún tipo. Esto era lo que iba a favorecer para que ninguno tenga en poco la juventud de Timoteo.

Tú dirás. Pobre Timoteo, le habrán hecho cualquier cosa. Un hombre que no sospecha, que no se maneja con prejuicios, un hombre que no tiene favoritismos es muy fácil de «manejar» o de ser llevado de las narices. Pero ¿quiere saber quién está detrás de un hombre o una mujer así? DIOS. Dios mismo se encarga de poner en orden a los que maquinan cosas injustas y perversas. He visto con mis propios ojos cómo quedan aquellos que tratan de sacar provecho de una acción con buen espíritu. Dios se encarga de ellos. Uno tiene que hacer el esfuerzo por no alegrarse de lo que Dios hace con esos enemigos silenciosos que esperan el momento oportuno para poner el pie, así lo encarga Proverbios 24:17.

El espíritu de contrariedad también lleva al trabajo incansable a las personas que lo atesoran en su corazón. También he visto cómo las personas pueden hacer cosas casi impensables sólo para hacer la contra a este o a aquél. Invierten su tiempo, sus energías y sus neuronas en pensar constantemente «qué hacer» para contrariar a otros. Están atentos a cada movimiento, a toda organización o emprendimiento pero no para sumarse con espíritu de colaboración, sino todo lo contrario. Por ejemplo: En la iglesia el pastor dice que hay que construir tal parte y algunos ya pensaron en ir al comercio a comprar algunos materiales y traerlos rápidamente. Otros se acercan al oído de su compañero de banco para decirle: ¡El pastor no tiene idea de lo que cuesta eso! Cuando se levantan de la reunión «los contras», los contenciosos empiezan a sembrar desánimo y desgana. Usan terminología cristiana y te dicen: ¿Justo que está por comenzar el tiempo de lluvias quieren hacer un techo de hormigón?, eso es no tener sabiduría.

He visto que van al lugar de trabajo, con ropas de trabajo y mientras toman las herramientas moviéndolas pesadamente le susurran al más cercano en voz baja: No digas a nadie pero hay materiales que se compraron y no están acá, los tiene el tesorero. Siembran mentiras e intrigas como regueros de pólvora. En medio de todo el movimiento ya se nota la falta de colaboración de los que estaban trabajando porque no vienen. Entonces se puede observar a lo lejos, allí está el contencioso esperando que todo quede en la mitad, que llegue el fracaso como viento huracanado. Espera ansiosamente el momento en que empiezan las acusaciones entre unos y otros por las intrigas que se sembraron. ESTE HERMANO TAMBIÉN ESTÁ TRABAJANDO, ¿LO VE? ÉL TRABAJA ESPERANDO VER EL DESASTRE Y EL FRACASO POR TODOS LADOS. Dios quiera que nunca hagamos algo por contienda o vanagloria; pero es evidente que el espíritu con que se hacen las cosas es lo que motiva y lleva a ocupar a las personas en hacer un trabajo como el que acabo de describir. Además, no crea que tengo tanta imaginación como para escribir todo este posible hecho que relato. He visto con mis ojos y he presenciado contenciones semejantes e inclusi mayores. Realmente me dan vergüenza estas cosas entre cristianos PERO ESA ES LA REALIDAD.

En el campo donde usted trabaje ya tendrá oportunidad de ver aquellos que trabajan con espíritu de contienda, envidia, vanagloria y arrogancia. Tú debes ser ejemplo de espíritu sano y altruista si quieres combatir legalmente en el campo de batalla del reino de Dios. Nunca podrás usar tu propia justicia para arreglar a estos «hermanos» con espíritu dañino o destructivo. Tú deberás trabajar como para el Señor. Orando por los otros para que Dios los ponga en evidencia y cuando esto ocurra podrás intervenir mostrando sólo tu ejemplo enérgicamente. Podrás entonces reprender, exhortar, enseñar y desarrollar este trabajo con total autoridad.

Te imagino un joven soltero, con todas las fuerzas para el trabajo, con ejemplar espíritu de lucha por la causa del evangelio, sin miramientos de esfuerzos y empeño; alcanzando más y más almas para el reino de

Dios; llevando a Cristo a toda persona que trata contigo, guiando en la vida cristiana a los ya convertidos y siendo un punto de referencia aun para los mayores, porque al trabajar así NUNCA TENDRÁN EN POCO TU JUVENTUD.

Pablo incluye la fe como parte del ejemplo que tendrán que recibir los demás por parte del líder. La fe solamente es posible palparla a través de las obras, Santiago 2:17-18, 20. Si tú no tienes obras de fe, nunca podrás inculcar debidamente a los demás que tengan fe. Por lo tanto no servirá de nada que vayas veinte años a seminarios, congresos, estudios bíblicos o que leas bibliotecas enteras. No quiero que esto se malinterprete. Es sumamente necesario el estudio y la capacitación, pero esto no sirve en absoluto si no se tienen las pruebas de la fe. Tú debes dar pruebas evidentes de que tienes fe y que esta ha sido puesta en acción porque las obras podrán ser vistas y evaluadas por todos. Es, además, la única manera de demostrar que tu fe esta viva. Entonces, y recién entonces, es posible que como líder puedas guiar a otros por el camino de la fe. No hay manera de hacer las cosas de forma distinta.

Muchos piensan, en especial las personas mayores, que para poder dirigir un grupo de personas se necesita MADUREZ EN EDAD. Nada es tan erróneo como eso. La edad tiene muchas ventajas, so-bre todo por la experiencia de la vida ya transcurrida, pero eso no trae automáticamente autoridad de parte de Dios ni es el comprobante de una fe viva. Algunos jóvenes también se han creído esta mentira del diablo y están atados por años. Están esperando ser MADUROS (mayores) para poder servir a Dios con su vida. Ninguna madurez en edad será suficiente para llevar o conducir un grupo de personas a Cristo. ¿Sabes qué es lo que se necesita según la Palabra de Dios? EJEMPLO DE FE. Ejemplo de fe hecho obras. OBRAS QUE MUESTREN UNA VIDA DE FE. Eso es todo lo que se necesita. Tú puedes hablar de Dios, mostrar a Cristo por medio de la Biblia a otras personas, interesarte por su vida espiritual, etc., pero nada será tan efectivo como el EJEMPLO DE TU VIDA QUE HACE OBRAS POR LA FE.

La fe es lo único en el universo que no se gasta cuando se usa. La fe tiene leyes sobrenaturales. La fe crece mientras más se la practica. La fe alcanza dimensiones que ni pueden soñarse simplemente porque se la pone a prueba. Por eso, DIOS PROBARÁ TU FE. Él quiere que tú tengas una fe tan grande como una casa, no como un grano de mostaza. Cuando Jesús se refirió a un grano de mostaza fue sólo para ilustrar que una fe pequeñísima puede obrar maravillas si está puesta en Dios. Pero si tu fe es probada crecerá. Crecerá hasta el punto de que podrás sorprenderte felizmente con las obras de poderosa manifestación en las personas que escuchan la Palabra de Dios. Entonces llegará el punto cuando NO PODRÁN TENER EN POCO TU JUVENTUD, PORQUE TU FE HA CRECIDO Y TIENE OBRAS NOTABLES. El ejemplo de una vida así es muy elocuente. Habla mucho mejor que las palabras. Pero si no tienes esto, olvídate de ser un líder soltero con autoridad. El ejemplo de fe de tu vida es lo que impactará a los que se acerquen a Cristo.

Da mucho gusto ver a jovencitos, chicos y chicas, que son usados por el Señor de manera poderosa. Muchos se admiran y dicen: ¡Solamente tiene quince años!, es muy jovencita para tener responsabilidades así. Pero es porque no se dan cuenta que María, la madre de Jesús, no alcanzaba los veinte años cuando concibió a Jesús por el Espíritu Santo en su vientre. Ella, según sus palabras para con el ángel, se decía y reconocía LA SIERVA DEL SEÑOR. ¿Qué te parece esa jovencita? Es de ahí en más que fue llamada BIENAVENTURADA POR TODAS LAS GENERACIONES. Podríamos hablar del joven Samuel, de Josué, de Daniel, de Ester, de Juan el apóstol, etc. También Juan era un joven que rondaba los veinte años cuando se unió a los discípulos de Jesús, llegando a ser uno de los discípulos confidenciales del Maestro.

¿Por qué debes esperar a tener cincuenta años para servir al Señor? La viña del Señor necesita obreros que tengan todo el vigor encima. Aquellos que puedan levantarse a cualquier hora de la noche para orar, los que estén dispuestos para ayunar cuanto tiempo el Espíritu Santo les indique. O bien esperas ser viejo y sin fuerzas para decirle al Señor: ¡Ahora ya no puedo hacer esto que me pides!

Creo que a Timoteo si se le pide como último ingrediente de su vida que sea puro, es porque se necesita la pureza ejemplar para ser un joven tenido en cuenta, o no tenido en poco dentro de la congregación.

Ser puro, íntegro, probo y casto es sumamente necesario para poder liderar mientras uno es soltero. Todos hemos pasado por el mismo camino, las tentaciones serán muchas y variadas pero eso no justifica la impureza en nuestras vidas. Con la ayuda del Todopoderoso podremos pasar cuantas ofertas estén a mano para no ensuciar el ejemplo de nuestra vida, para ser realmente íntegros completamente.

Pablo escribe a su discípulo unos versículos más adelante diciéndole que a los jóvenes los exhorte como a hermanos: *«... a las ancianas, como a madres, a las jovencitas, CON TODA PUREZA»* (1Timoteo 5:1, 2). Eso quería decir literalmente que su trato con las jovencitas debía ser hecho con toda castidad, sin dobles sentidos, sin intencionalidad y sin manipuleos. En otras palabras aquellas jovencitas de la iglesia de Éfeso debían ser «ministradas» por el trato que les daba Timoteo.

¿Dónde esperan ser tratadas de esa manera las jovencitas de tu iglesia? ¿En el mundo? ¿En la calle? ¿Por sus vecinos? No. Necesariamente deben encontrar este trato en la iglesia de Cristo, en su cuerpo y en su reino de amor y paz.

Conocí a jóvenes que creían que ese trato con las hermanas era imposible, que siempre estaba la tentación de por medio. Uno de ellos supo decirme: «Si no existieran las chicas yo sería el pastor principal de la República». Por supuesto, él no hacía nada por superar su concupiscencia, le gustaba jugar al filo de la navaja. Ya sabe de qué hablo. Allí quedó ese joven, esperando que desaparecieran las hermanas de la faz de la tierra. Lo que se puede leer en la Palabra de Dios es que «*Todas las cosas son puras para los puros, mas para los corrompidos e incrédulos nada les es puro; pues hasta su mente y su corazón están corrompidos. Profesan conocer a Dios, pero con los HECHOS lo niegan, siendo abominables y rebeldes, reprobados en cuanto a toda buena obra*» (Tito 1:15, 16).

Todo lo que acabo de exponer no es para que te asustes. Es sencillamente lo que un líder soltero necesita. Nunca podrás realizar tu labor con menos condiciones que éstas porque se necesita de la vida misma cuando hay que guiar a otros a Cristo. Todas las teorías son nada cuando hay que mostrar cómo vive uno. Lo único que cuenta para ser líder soltero es la realidad, los hechos y las cosas concretas de la vida.

Tú puedes ser un Timoteo más o una Ester más. Sé que es posible este tipo de vida si realmente estamos entregados por completo en las manos del Señor para que trate nuestras vidas. No mires la posibilidad de ser un líder ejemplar como remota o lejana. Dios quiere obreros para su viña, hombres y mujeres que no se vendan, sino que su profesión de fe sea firme.

Por la gracia de Dios sobre mi vida es que puedo escribir estas cosas, enseñando y afirmando que es posible el cumplimiento de esta palabra en un joven, porque he pasado por este momento de ser joven soltero y líder con autoridad.

Además, me veo en la necesidad de decir que el estado de vida que la Palabra de Dios nos marca para poder servirle como líder soltero no es ningún sacrificio, ni pesar, ni angustia. Si de veras amas al Señor esto sólo será alegría, gozo, paz, victoria sobre el pecado, autoridad para transmitir a otros la vida de Cristo y bendiciones constantes de parte de Dios en tu vida.

Realmente deseo que tú mismo lo compruebes.

Capítulo VIII

LA MUJER LÍDER

Las hermanas pueden saber perfectamente sus alcances y limitaciones de manera que este capítulo va dirigido a los hombres.

Lamentablemente los cristianos importamos al reino de Dios los conceptos, valores y esquemas seculares. Pocos son los que se replantean las cosas que hacemos cotidianamente dentro del evangelio.

Uno de los temas más notables es el que en este capítulo pretendo abordar. En realidad, no es la mujer como líder, aunque hay mucho por saber y hacer al respecto, sino ¿¡por qué!? debo incluir en un libro de capacitación para líderes el tema de la mujer. ¿No debiera entenderse lisa y llanamente el liderazgo de la mujer de acuerdo a parámetros estipulados en la Palabra de Dios? Es evidente que no es así, de otra manera dejaría verse la realidad.

Me parece discriminatorio el hecho de hacer un capítulo por separado para las hermanas. Pero todavía el machismo de la cultura latina campea en nuestro medio. ¿Queremos vivir dentro del evangelio del reino aceptando sus propias leyes o vamos a importar las que nos gusten del mundo? Si aceptamos las leyes del reino de Dios lo que voy a exponer es fundamentado en Su Palabra; que implica cumplimiento seguidamente.

Estoy absolutamente convencido de que los cristianos de todo el mundo que se consideren hijos de Dios deben tener las mismas leyes. Las del reino de Dios. No podemos tener familias a la norteamericana, liderazgo a la europea, dedicación y trabajo en la obra a la oriental ni estructura de iglesia a la sudamericana. Debiéramos entonces plantearnos el tema de la mujer como líder de célula en ese sentido.

Pablo describe perfectamente esta situación. En Dios no tenemos más diferencias porque...

> «*... todos los que habéis sido bautizados en Cristo, de Cristo estáis revestidos.*
> *Ya no hay judío ni griego; no hay esclavo ni libre;* no hay varón ni mujer;
> *porque todos vosotros sois uno en Cristo Jesús.*
> *Y si vosotros sois de Cristo, ciertamente linaje de Abraham sois,*
> *y herederos según la promesa*» (Gálatas 3:27-29).

Cada vez que los dirigentes cristianos quieren desplazar a las mujeres de los lugares de liderazgo de la iglesia recurren con frecuencia a los escritos paulinos por tener contenido fuertemente inclinado a la figura masculina.

Las enseñanzas y disposiciones internas de las iglesias de Éfeso y Corinto no corresponden al contexto bíblico global. Las medidas y preceptos tomados a manera de resolución por parte del apóstol de los gentiles se debe solamente a cuestiones locales de prácticas paganas y valoraciones culturales. Pablo cuidaba celosamente que las hermanas no vayan a parecer sacerdotisas de la diosa Diana, con todo el culto desvergonzado que este incluía. No deseaba que fueran confundidas con ningún rito de los que la ciudad estaba viciada. La diferencia era fundamental para el apóstol Pablo y quería evidenciarla notablemente. No tienen ningún propósito universal las medidas tomadas para esas iglesias en lo que respecta a la mujer.

¿Dónde vamos a encontrar otras referencias de la mujer en los libros que restan de la Biblia con las características de estas iglesias?

En todos los casos la mujer adquiere posiciones de relevancia cuando entran en acción siendo siervas de Dios.

No podemos importar al reino de Dios el machismo, donde la mujer solamente se acomoda con los platos y la ropa. Debemos ver a la mujer desde el plano de Dios, que aparte está muy bien descrito en Su Palabra.

Conversando con algunos pastores y líderes cristianos observé que el tema de la mujer es bastante discriminativo. Observé cómo se hace «sobrar» a una mujer en reunión de dirigentes cristianos donde el resto son hombres. ¡Falta aplicación de las leyes del reino! Es la única respuesta a esta falla.

El tema de la mujer que trato aquí tampoco responde a la corriente feminista que ha creado oleajes en este siglo y que parece hoy estar en el mayor furor. Nada de eso. Mi único interés es mostrar que hay diferencias entre nuestra práctica diaria como cristianos y lo que dice la Palabra de Dios con respecto a la mujer.

Si tuviera que explayarme en todo el contexto bíblico sería necesario escribir un libro aparte, por lo extenso, para mostrar cómo Dios ha obrado a través de la mujer en varias situaciones, en distintas épocas y de muchas maneras. Creo, además, sería incómoda e innecesaria toda esa información si no se aplican los principios que originan las muestras de los hechos destacables en la Biblia por parte de las mujeres.

Los roles que Dios mismo puso sobre el hombre y la mujer desde su creación son muy bien diferenciados. No es verdad, como hoy tratan de mostrar los feministas, que hombre y mujer son iguales. Hay diferencias de roles y lugares de acción. Sin embargo, cuando recurrimos a la fuente de sabiduría y verdad, la Biblia, nos encontramos con algunas sorpresas.

Veamos algunas de ellas así :

> «*La mujer virtuosa es corona de su marido; mas la mala, como carcoma de sus huesos"*
>
> (Proverbios 12:4)

> «*Sea bendito tu manantial, y alégrate con la mujer de tu juventud, como cierva amada y graciosa gacela. Sus caricias te satisfagan en todo tiempo, y en su amor recréate siempre*»
>
> (Proverbios 5:18, 19)

> «*Maridos, amad a vuestras mujeres, así como Cristo amó a la iglesia...*
>
> *... Así también los maridos deben amar a sus mujeres como a sus propios cuerpos. El que ama a su mujer a sí mismo se ama*»
>
> (Efesios 5:25, 28)

El alcance

La población mundial tiene un porcentaje siempre más elevado de mujeres que de hombres. Por cada hombre hay dos mujeres. ¿Cómo vamos a pensar entonces que las mujeres están desafectadas de la Gran Comisión? De ninguna manera puede excluirse a las mujeres de este mandamiento. No digo que sería imposible pero sí muy costoso, por la proporción, hacer que los hombres solamente se ocupen de la evangelización del mundo.

La mujer tiene algunas ventajas, por sus habilidades, para poder transmitir el evangelio.

1) Para convencer a una mujer no hay nada mejor que otra mujer. Todas las mujeres que conocí tienen una especie de sexto sentido en el que ven a una persona y dicen a) Si les cayó bien o mal. b) Una descripción casi radiográfica del interior de esa persona. Si está dispuesta a predicar a Cristo sabe qué temas abordar directamente por esta innata capacidad.
2) La capacidad de charlar y saltar sobre temas diversos y variados en muy poco tiempo de conversación. En unas de esas vueltas de charla presentan a Cristo sin más; y quien sea que esté oyendo, al ser tomado por sorpresa, no tiene escapatoria. Lo he visto personalmente varias veces.
3) Al tener a su cargo la dirección de sus hijos, según Proverbios 1:8, tiene la capacidad suficiente dada por Dios, para llevarlos al Señor de manera efectiva. Esto incluye relaciones con quienes sus hijos se juntan, compañeros de estudio, maestros, vecinos, parientes, amistades, etc. Esta actividad le permite tener la puerta abierta de la comunicación de las Buenas Nuevas del evangelio todo el día. Tanto por las palabras, cuanto más por los hechos.

Otra particularidad de nuestro tiempo es que la mujer ha ido ganando lugar en los campos de trabajo que estaban reservados solamente para los hombres. Pero este «avance» en el siglo, que no podemos desconocerlo, ha conseguido logros en campos como la arena política, la vida artística y el mundo de los negocios con buenos resultados. ¿No es ventajoso para el tema que nos interesa puntualmente? Al demostrar el sexo femenino que puede desarrollar actividades antes vedadas, surge la posibilidad entonces de pensar que es factible la aplicación del liderazgo a la mujer; solamente analizado desde el punto de vista social secular. Nosotros los cristianos tenemos muchas más razones para pensar que la mujer puede desarrollar las tareas de líder de célula.

Aquí hay algunas citas: Hechos 1:14; 16:13-15; Hebreos 11:35; Tito 2:3-5. Jueces 4:4-5, 9-14; 5:7,12-15; Ester 2:7-22; 4:4-17; 5:2-12; 7:1-8; 8:1-7; 9:12-32

Es evidente que no necesitamos la admiración para las mujeres que hicieron camino en el liderazgo. Necesitamos que las mujeres cristianas de hoy las IMITEN. Algunas hermanas podrán pensar: yo no tengo ni lo mínimo para parecerme a Débora, Ester y otras, porque no estoy en esa situación. No hace falta estar en los lugares importantes donde estaban estos personajes bíblicos, para hacer lo mismo que ellas hicieron. Transportemos a través de la imitación, a las cosas cotidianas y/o lugares donde desarrollamos actividades cristianas o no, los valores tales como la entrega genuina, la valentía, el esfuerzo, la fe, la paciencia, la constancia, el honor y la dignidad seguramente nos beneficiaría y tocaría a otros ese ejemplo de vida. Es casi imposible que una cristiana al vivir de este modo pase desapercibida en el lugar de trabajo. La IMITACIÓN de las números uno les traerá aparejado muchas victorias, téngalo asegurado.

No estoy arrepentido de haber dado lugar a la mujer líder como un capítulo separado, pero siento, por haberlo hecho, como que va a tomarse solamente este capítulo de referencia y nada más. Mi propósito al escribir un libro de capacitación fue que tanto el hombre como la mujer tuvieran cosas importantes en cuenta para desarrollar el liderazgo. En definitiva, este libro está dedicado también a ellas.

Lo desconocido

Lo desconocido para nosotros aquí en América y en Argentina particularmente, es muy conocido para nuestros hermanos de Seúl en Corea, con respecto a la mujer como líder de células.

Es tan loable lo llevado a cabo por el pastor David Cho y las hermanas en Corea, que si uno se pone a analizar hasta dónde han ido en el liderazgo de la iglesia, nos daríamos cuenta que no sólo llama la atención que las hermanas desarrollen efectiva y probadamente lo que es hoy la iglesia más grande del mundo, sino que casi es imposible pensarlo anticipadamente en Corea donde la mujer ocupa un lugar inferior al del hombre dentro de la estructura sociocultural de Oriente.

Creo que lo que hizo la iglesia del Evangelio Completo a través de las mujeres es una hazaña sin precedentes en la historia del cristianismo. Además, constituye la mejor aplicación práctica de las leyes del evangelio del reino de Dios en medios que no son para nada aptos socialmente. ¿Por qué nosotros aquí vamos a cuestionar el liderazgo de la mujer? ¿Por qué no probamos de aplicar solamente las leyes del reino de Dios? Nos daremos cuenta definitivamente que nuestros juicios de valoraciones a veces no coinciden en nada con el pensamiento y propósito de Dios. Esto es lo desconocido. Embarcarse en un proyecto de iglesia con la visión de Dios sobre la cuestión. Pero estoy seguro que vamos a llevarnos gratísimas sorpresas si lo hacemos así.

Me imagino que nadie querrá perder tan linda bendición para su iglesia o ministerio, no tener mujeres líderes, sólo por afirmar y creer en la cultura machista a ultranza. Digo esto porque hay hermanos que no son machistas abiertamente pero tampoco dejan lugar en el ministerio a hermanas. Otros afirman categóricamente estas verdades bíblicas del liderazgo femenino pero no hay evidencia de ello en su trabajo. ¿Qué es lo que pasa? Estamos frente a lo desconocido. Pocos, o muy pocos se aventuran a experimentar lo que está probado bíblicamente con respecto a la mujer.

Son contadas las mujeres como mi abuela Lidia. Ella desarrolló un impecable ministerio apostólico junto a su marido por espacio de cuarenta y ocho años plantando juntos sesenta iglesias en todo el noroeste argentino con base en San Miguel de Tucumán.

Se casó a los dieciséis años por revelación del Señor y salió como misionera en el año 1930. Crió seis hijos, todos siervos del Señor. Anduvo en carros en medio de los montes en Santiago del Estero y escaló cordilleras altísimas en el oeste de Salta, Jujuy y Catamarca. Tomaba a su cargo la organización de trabajos y emprendimientos con muchos hermanos. Tengo una imagen de niño, como una película, viéndola a ella hablar a la congregación de cientos de personas en ausencia de mi abuelo para llevar adelante los proyectos.

Una mujer totalmente desenvuelta y en aquellos años de las primeras décadas del siglo. Pero no le bastó el hecho de trabajar así, sino que cuando murió mi abuelo en accidente en los valles Calchaquíes justamente por ir a predicar, ella fue enviada por el Señor a Salta participando activamente en la vida de la iglesia. Se fue con el Señor el 31 de diciembre de 1996 a los ochenta años.

Una vida totalmente consagrada y afirmada en Dios. Sirviendo de manera ejemplar. Siendo digna de imitar. Teniendo frutos hermosos de su trabajo.

Eso es ser una líder, una mujer que no dice vayan, sino VAYAMOS. Usted como mujer puede hacerlo perfectamente.

El Señor de la mies necesita obreras líderes.

LO DESCONOCIDO PUEDE SER MUY BUENO.

Capítulo IX

VIDA DEVOCIONAL DEL LÍDER

¿Por qué crecen algunos creyentes, convirtiéndose en cristianos maduros, bien equilibrados y fructíferos, mientras que otros pasan la mayor parte de su vida derrotados y frustrados?

Tal vez tengas la respuesta tú mismo, pero aquí podemos mencionar algo muy interesante.

El momento más importante del día es el que pasamos con Dios. A esto lo podemos llamar oración, lectura bíblica, canto o simplemente COMUNIÓN, que trae en nuestras vidas consecuencias cada vez más deseables con Dios. De esa manera alimentamos el hombre interior; nos aseguramos de caminar por la senda recta; aguardamos la dirección de Dios para nuestras vidas y mantenemos relación permanente con quien es la fuente de vida.

Casi podría decir que cada cristiano es mensurable por la cantidad de «cultos» que realiza personalmente por día.

Hay quienes se proponen y consiguen el tiempo necesario a primeras horas de la mañana para la devoción diaria y de allí parten con un día de victoria y proclama del reino de Dios visible en sus vidas. Transmiten «... *justicia, paz y gozo en el Espíritu Santo*» (Romanos 14:17).

El caminar por la senda de la voluntad de Dios con firmeza y victoria no es el resultado de la coincidencia o de un accidente. Exige entrega total a Jesucristo como Señor de nuestra vida y disciplina de nuestro ser para vivir de acuerdo a las prioridades cristianas.

No hay forma de conseguir la vida de Cristo en nuestras vidas si no tenemos momentos de quietud con Él. Esto logrará mantener una experiencia fresca y radiante, como la consecuente permanencia y firmeza en Dios. Desde ahora inicie sus días pasando unos minutos a solas con el Señor.

Algunas sugerencias:

1. Establezca un momento y sitio regulares para su compañerismo con el Señor. Por ejemplo: Salía a las 23:00 horas del trabajo y en vez de tomar un colectivo hasta casa me iba caminando y allí en la quietud de esa hora ejercitaba una hermosa comunión con mi Señor. Aunque a veces estaba muy cansado y hasta agotado por el trajín del día; en cuanto comenzaba a tener COMUNIÓN con el Señor mi cansancio desaparecía para no volver. No puedo decir lo beneficioso que fue para mi vida esos años de ejercicio de comunión con Él.
   Si usted no establece un momento en el día para esto NUNCA LO TENDRÁ, siempre habrá cosas para hacer. Si ya determinó el momento comience con lo primero que desee; lectura bíblica, oración, cantos, etc. Estoy seguro de que el Espíritu Santo lo llevará a experiencias que no imagina, le hará conocer misterios y profundidad de la Palabra que nunca soñó y también señalará en su vida las cosas que no le agraden. Glorificará a Jesús haciéndole vivir la vida de Cristo en su propia vida.
2. Identifique un aspecto de necesidad espiritual en su vida. Por ejemplo: la mentira, el mal carácter,

la lengua, los ojos malignos, la impaciencia, la deshonestidad; téngalo presente en el momento de COMUNIÓN. Clame al Señor por ello hasta que usted pueda comprobar que el Espíritu Santo le ha dado victoria y la obra de la carne ha muerto.

3. Destaque un pasaje bíblico que indique o señale su conducta y lo que Dios quiere de ella, según sea su necesidad. Subráyelo o escríbalo en algún lugar que sea de fácil acceso para usted, cuadernos, carpetas. agendas, etc. Ore por ello como motivo de oración especial hasta que haya sido superado el obstáculo. ES PELIGROSO DESCUBRIR EN NOSOTROS UNA FALLA Y TAPARLA U OLVIDARLA. NOS EXPONEMOS A SER DERROTADOS POR NUESTRA CARNE. Gálatas 5:16-17; Romanos 8:13
4. Sea sensible y obedezca a las indicaciones del Espíritu Santo.
5. Sea cuidadoso con el alimento que da a su mente. Su pensamiento predominante gobernará sus actos inmediatos.

La oración

Recomiendo que vean detenidamente el vídeo del pastor David Cho que habla de la oración y empiecen urgentemente a poner en práctica esa enseñanza.

Todos los cristianos creemos que la oración en una persona delimita meridianamente su relación con Dios y que las muestras de esa relación es el poder con el que actúan sus siervos. Pero... ¿Cuánto hacemos por orar más? ¿Qué práctica tenemos de tantas enseñanza acerca de la oración? Es alarmante saber que nosotros buscamos cada vez llenar más nuestro intelecto de lo que es la oración antes que ponernos en una sistemática y obstinada práctica de esta verdad bíblica.

Una vez tuve la oportunidad de presenciar algo distinto con respecto a la oración. Una noche de culto de oración, justamente, el pastor de la iglesia a la que asistía dijo: «Bien, esta noche vamos a aprender acerca de la oración». Yo y otros más nos acomodamos como para escuchar una enseñanza pero para nuestra sorpresa dijo seguidamente: «Empecemos a orar ya, esta es la mejor manera de aprender a orar, orando». Por supuesto aquella noche aprendí varias cosas sobre la oración tratando con la congregación de orar para aprender a orar. Fue realmente algo distinto de todo lo que había relacionado con la oración.

Otras de las cosas que comprobé acerca de la oración, lo bueno que es orar tal como el Señor lo enseñó en el Padre Nuestro. Mientras veía el vídeo del pastor Cho no dejaba de gozarme por la revelación que tiene de Dios sobre aquella palabra. Él habla bastante del primer pedido que Jesús hace en esa oración: VENGA TU REINO. Pero resulta todavía mucho más significativo que este pedido resuma todo el listado de cosas que necesitamos, pues la promesa es que ... *si buscamos primeramente el reino de Dios y su Justicia, todas las demás cosas serán añadidas*» (Mateo 6:33).

Por supuesto, no dejé pasar la oportunidad para la práctica de esta enseñanza y debo decir que realmente me he visto en la necesidad de comenzar a vivir de acuerdo a la voluntad de Dios en mi casa, en mi trabajo, en mi familia y ha resultado agradable y perfecta esa voluntad para mí y los míos. Nada mejor me podría haber pasado. Ahora, ese es el primer pedido en cada oración de mi casa, pues las demás cosas están añadidas.

Mi querido lector, si usted sólo pusiera *en práctica* todo lo que ya sabe acerca de la oración, le garantizo que su vida tendría un giro de 180° en poco tiempo.

Para aprender a orar no hay nada mejor que comenzar a orar sin cesar.

Hay una cita anónima que dice: «*Debemos doblar nuestras rodillas delante de Dios, para estar en pie delante de los hombres*».

Reinhar Bonke dijo: «El evangelismo sin intercesión es una carga explosiva sin un detonador (lo que activa la dinamita), intercesión sin evangelismo es un detonador sin una carga explosiva».

Si usted va a trabajar como líder de célula debe tener muy buena práctica de oración, pues sólo allí encontrará la victoria para cada batalla.

Guerra espiritual

Si tuviera que escribir detalladamente sobre cada uno de estos temas en el presente capítulo este libro sería tres veces más grande del tamaño actual. No obstante, podemos señalar algunas cosas muy puntuales con respecto a la guerra espiritual.

En cada casa de inconversos que entramos llevando la Palabra de Dios provocamos luchas, movimientos y desplazamientos en el campo espiritual, entonces es necesario saber cómo luchar.

Estoy absolutamente convencido de que la guerra espiritual, a la que nosotros debemos abocarnos con todas nuestras fuerzas, no surge de nuestra estrategia, ni de nuestros conocimientos sobre los problemas específicos en cada caso particular, ni de andar atando y echando espíritus por todos lados y a toda hora.

La guerra espiritual tiene que llevarse a cabo por un estratega militar muy capacitado, y el Espíritu Santo es el más adecuado para esa tarea. Cuando Él nos indica algo, y estamos seguro que Él nos lo dice, aunque no veamos nada debemos guerrear tal como Él quiere, y hasta cuando Él quiere.

Mucho se ha escrito sobre guerra espiritual, incluso un hermoso manual abultado de material muy interesante, pero qué precioso será que antes de todo dependamos de Quien nunca ha perdido una batalla y Quién no piensa perder alguna en toda la eternidad. Será menester entonces obedecer al Espíritu Santo.

El Espíritu Santo

La vida de oración nos traerá una nueva y fresca relación con el Espíritu Santo de Dios. No se puede separar esto. Es más, es directamente proporcional uno con el otro. Mientras estamos en oración, el Espíritu Santo tiene posibilidades, tanto para decirnos las cosas, como para llevarnos por caminos donde sólo Él puede guiarnos. Lo mismo ocurre a medida que tenemos mejor relación con el Espíritu Santo, queremos o deseamos más oración.

Mucho se ha escrito, predicado y enseñado sobre el Espíritu Santo, pero sólo el que practica una estrecha relación en Él puede saber lo bueno que es esto. Siempre tenga presente que podemos escuchar, estudiar y/o leer acerca de la oración y el Espíritu Santo; pero nunca reemplazará eso a la valiosa práctica que podemos tener diariamente.

Una de las cosas más particulares con respecto a las células es que necesitamos depender del Espíritu Santo de forma directa y total para ser llevados por Él mismo a una oración efectiva, una palabra justa, una enseñanza con autoridad.

Cuanto más avanzamos en el campo espiritual de un hogar con sus integrantes y sus cosas materiales, más necesitamos de la guía y dirección del Espíritu Santo. Sólo entonces vamos a poder evaluar cuán necesaria se hace su voz y enseñanza. Es por eso que debemos ocuparnos de nuestra relación con el Espíritu Santo ahora mismo.

En este caso podría decirse exactamente como en la oración. Si se atreve a poner en *práctica* lo que sabe acerca del Espíritu de Dios su vida va a cambiar positivamente.

En ambos casos no es significativo lo mucho que ha aprendido estudiando, leyendo o escuchando en seminarios, sino cuánto de eso tiene en práctica activa y constante.

Capítulo X

EL LÍDER DE CÉLULA

El líder de célula COORDINA el trabajo que hace el grupo, por eso es un miembro clave, pero el estudio no se centraliza en él. El líder es un guía que está presente como un miembro más. La autoridad del estudio no es él sino La Biblia. Todos los miembros de la célula preguntan, contestan y comparten un tema central pero es el líder quien debe coordinar esta actividad.

En el caso de las preguntas que él mismo debe formular al grupo, hasta puede hacerlas directamente a una persona en particular si desea, pero debe cuidar que todos estén participando. Es por esto que muchas personas que son «buenos predicadores» no sirven para dirigir un grupo de esta naturaleza.

El gráfico que sigue ejemplifica muy bien cómo es la interacción entre los miembros de una célula:

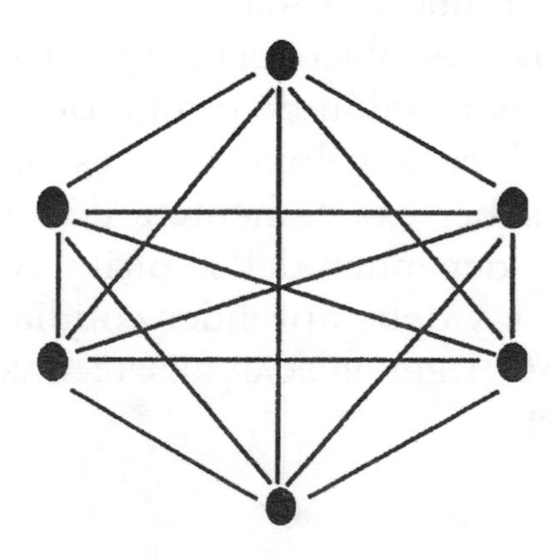

El líder debe tener estas particularidades

Debe ser honesto

Ser honesto es fundamental para poder ser líder. Esta actitud lo llevará a ser lo suficientemente sabio como para poder admitir delante de cualquiera que no lo sabe todo y que de esa manera puede recibir ayuda de los otros miembros del grupo. Esta situación hace posible la interacción, pues si la actitud del líder de célula no se muestra como un miembro más y de veras así lo siente y lo practica, creará un problema insalvable de comunicación.

A lo mejor, si le hacen una pregunta que no sabe responder, o el grupo ha ido en su participación abierta a un punto donde se requiere seguridad, y el líder no puede brindar la contestación o «la última palabra» de la discusión, es mejor que diga sencillamente: «NO SÉ. Buscaremos sobre este tema en la Palabra de Dios, o trataré de asesorarme acerca de lo que están necesitando». Es la mejor manera de ser un líder que quiere de veras discipular con ejemplos al grupo.

¿Sabe lo que puede pasar en el grupo si el líder contesta categóricamente sobre una pregunta y luego descubren que está totalmente equivocado? Cae su imagen, la confianza, el respeto, etc. Luego ¿cómo hace para poder seguir siendo el líder? Es mejor ser honesto. 1 Corintios 7:35; Filipenses 4:8.

Sin embargo, es obvio, el líder tiene que prepararse muy bien para la reunión de célula. Debe conocer muy bien el manual para células que es el material que maneja. Debe saber exactamente a dónde quiere llevar el grupo, debe depender del Espíritu Santo si quiere bendecir a otros y debe aprender cotidianamente de la Palabra de Dios. ¡DEBE BUSCAR RESPUESTAS A SUS PROPIOS INTERROGANTES!

Desea el crecimiento para sus hermanos

Colosenses 1:10-11; 2:18-19; Efesios 4:14-16; 2 Pedro 3:17-18. El líder debe estimular a los participantes a interesarse en las cosas que son realmente importantes en la Palabra de Dios. Por ese motivo el líder es considerado como «un hacedor de discípulos», participando en la formación de esas vidas. Si se apunta al crecimiento individual se debe tener entonces como resultado nuevas vidas en Cristo. El líder entonces no debe apuntalar solamente el conocimiento intelectual, sino que los lleva a la obediencia, a Cristo, siendo él el modelo. Quien pretende formar discípulos debe primeramente ser discípulo. Esto no quiere decir que cuando son líderes dejan de ser discípulos, sino que juntos con todos siguen cada vez más de cerca a Jesucristo.

En cuanto al desarrollo de la reunión de célula la parte de preguntas es fundamental para sondear qué conceptos tienen los participantes, cuáles son sus valoraciones, qué enfoques o puntos de vista defienden.

Aquellos que se ponen vehementes defendiendo sus puntos de vista pueden ser ejercitados en la conversación de esta manera:

- ¿Por qué motivos respondiste así?
- Está bien lo que dices, ¿pero puedes pensar que sea de esta otra manera?
- Fundamenta con pasajes bíblicos lo que expones.
- Dame ejemplos prácticos de esa respuesta.
- Está bien, pero ¿puedes pensar que otras personas tienen vivencias distintas?

En definitiva el líder se asegura que se vean y sean muy notables los aspectos principales del tema que tratan.

Él también comienza y termina la discusión, charla o debate, recalcando al final el mensaje central e importante que tiene cada tema.

Debe interesarse individualmente por cada persona

Jesús, el formador de discípulos por excelencia, se interesó particularmente por cada una de las necesidades de los que estaban con Él. La necesidad primaria de los seguidores es que puedan entender lo que explicamos. Muchas veces Jesús habló en parábolas o comparaciones a toda la gente, Mateo 13:2-3, mientras que a sus discípulos les explicaba todo, Mateo 13:10-17.

Empieza con una demostración de interés por la persona. Si saben perfectamente que te interesas por ellos, entonces podrás instruirlos, sugerirles, enseñarles y guiarlos, NO ANTES. Tú tienes que comenzar a tratarlos como un compañero de tareas. Allí debes alimentar la reciprocidad. Ellos se interesarán por ti. Es de esperar. Si siembras interés, segarás compañerismo.

Relacionado con esto es el hecho que nosotros hablamos en el léxico evangélico y tenemos muchas palabras, expresiones y conceptos que necesariamente deben explicarse, conceptuarse y definirse.

Por ejemplo: decir a cualquiera «somos lavados en la sangre del Cordero» para ellos no explica nada, no entienden el significado de esa frase y necesitan una explicación de qué se trata, porque pueden imaginarse cualquier cosa.

Trata debidamente a cada persona

Una de las cosas que supieron hacer muy bien los líderes del pueblo de Dios en todas las épocas, incluidas las épocas bíblicas, es que supieron tratar muy bien a las personas con quienes se relacionaban. Nadie es líder si no tiene un grupo compacto a quien dirigir. El grupo puede ser homogéneo o heterogéneo, pero el líder debe saber dirigir, enseñar y tratar a cada uno de los integrantes. Mientras más heterogéneo sea el grupo, mayor debe ser la habilidad del que lidera.

El caso de Jesús y sus discípulos realmente es la mayor prueba de Maestría de Líder. Creo que nadie jamás ha tenido un grupo de personas más heterogéneo que ése.

En el caso de las células el líder debe hablar individualmente con la persona que domina el diálogo o monopoliza la discusión, o trata de llevar la situación lejos del objetivo que tienen las células o porque solamente quiere discutir temas de interés personal.

En público se puede hacer una breve interferencia a estas personas diciéndoles:

• Lo que dices es bueno, pero me gustaría saber también la opinión de los demás.

• Si ya diste tu observación, por favor, deja que el que sigue pueda hacerlo.

Hay que evitar a toda costa la desviación del tema. Es posible pasar horas hablando de las cosas secundarias que no hacen a un tema principal. NO IRSE POR LAS RAMAS EN LA CONVERSACIÓN ES TAREA DEL LÍDER.

Las personas cuando tienen oportunidad de participar también tienen la posibilidad de emitir contestaciones completamente equivocadas. En ese caso lo peor que podemos hacer es decirle a la persona que está equivocada, «saltándole encima» con vehemencia. Hemos de respetar la opinión si la pedimos.

Lo mejor será decirle:

• Muchas personas piensan como tú (y luego decir al grupo) ¿Pueden ustedes pensar en otras posibilidades?

Nunca hay que poner a unos en contra de otros dentro del mismo grupo de célula. Si alguien lo hace hay que decirle que no se trata en esta reunión de imponer cada uno su opinión, sino que en la célula debemos examinar todo y solamente retener lo bueno, 1 Tesalonicenses 5:21.

También se puede decir a la persona equivocada:

• Lo que dices es una posibilidad, aunque el contexto en la Biblia sugiere otra.

Es decir, siempre hay que respetar su opinión, pero a la vez hay que mostrarle que la suya es sólo una, y que hay otras posibilidades aún mejor respaldadas bíblicamente.

Al tratar con todo tipo de personas el líder debe tener en cuenta que el trato además de cordial debe ser respetuoso y auténtico. Si dentro del grupo hay una persona profesional como doctores, médicos, arquitectos, pastores, etc., el líder debe dirigirse a ellos con sencilla cordialidad y según los casos, cuando se nombra a estas personas poner en evidencia su titulo. Por ejemplo:

• Aquí el doctor tal... ha dicho esto..., etc.
• El pastor fulano... nos explicará tal cosa...

NO LO OLVIDES: Si quieres reconocimiento como líder, tú tienes que reconocer primero a los demás. Debes hacer con los demás lo que quieres que ellos hagan contigo, Mateo 7:12.

El respeto en este sentido, obrará como afianzador de relaciones y tu persona como líder también será respetada.

Debe identificar líderes en el grupo

En todo grupo de personas hay quienes sobresalen de los demás.

Aquella persona que se interese sinceramente por el trabajo completo de las células, llega puntual, cumple con la labor que se le encomienda, tiene facilidad para ser objetivo ante las circunstancias, y por sobre todas las cosas desea realmente CRECER EN DIOS, debe ayudarlo de manera especial en esta forma:

- Ocúpelo en tareas que requieran responsabilidad.
- Derive a su cargo proyectar y dirigir actividades (visitas a familias, enfermos, reuniones por motivos especiales, etc.), para que él mismo empiece a planificar, dirigir y responsabilizarse por los resultados.
- Apóyelo incondicionalmente.
- Permítale que se equivoque.
- Enséñele a depender de Dios.
- Indíquele, en su momento, que se capacite en el Seminario para Líderes de Células.
- Acérquelo a usted.
- Permítale que vea cómo trabaja usted.
- Llévelo cuando hace visitas a enfermos, cárceles, hospitales, etc.
- Compártale las cosas que requieran más oración y aquellas que parecen difíciles.
- Hágale saber su aprecio de una manera sincera y natural.
- Apruebe caluroso lo que haga acertadamente.
- No mezquine la aprobación a las cosas que hace bien. Esto abre el camino para que usted pueda corregirlo con amor; él escuchará atentamente porque sabrá que usted desea lo mejor para él.
- NO LO CRITIQUE DE NINGUNA MANERA, NI DE FRENTE NI POR DETRÁS.
- NO LO CONDENE, NI SE QUEJE DE ÉL.
- NO DISCUTA JAMÁS CON ÉL.
- TRATE DE DEMOSTRARLE CON HECHOS REALES Y CONCRETOS LAS COSAS QUE DEBA CORREGIR.
- USTED DEBE IMITAR A CRISTO Y ÉL DEBE IMITARLO A USTED. Efesios 5:1.

Si usted trata de eclipsar a los posibles líderes no tiene mucho sentido que usted lidere una célula. Una célula es una unidad que debe dividirse para poder ligar una cadena de vida y si usted no se ocupa de buscar a esas personas que van a ser los futuros líderes, su célula ya empezó a morir.

Si usted no es capaz de distinguir, individualizar y trabajar con cada persona que tenga el germen de líder, USTED NO ES UN LÍDER.

Ningún buen líder tiene miedo a que «aparezca» otro líder en su célula.

Si usted es capaz, con la ayuda del Señor de «sacar» líderes entonces está DISCIPULANDO realmente, y sólo así está en el cumplimiento de Mateo 28:19.

Discipular no es enseñar detrás de un escritorio una materia. Discipular es hacer vivir lo que nosotros vivimos, creemos y decimos a quienes van a continuar y seguir en nuestra labor.

Los discípulos de Jesús estuvieron aprendiendo en la escuela de la vida. Ellos estuvieron presentes, viviendo, sintiendo, pensando, equivocándose, mirando y aprendiendo de la misma práctica de la vida de Jesús. Comieron del mismo pan, es decir, compartieron y vivieron junto al Maestro y allí Jesús volcaba sus enseñanzas sobre las cosas prácticas.

A cada una de las personas que entregaron su vida al Señor se les mandó que hicieran exactamente lo mismo que hizo Jesús: hacer discípulos.

Enseguida verá usted cómo no es necesario discipular a una gran cantidad de personas. Quizás en toda su vida solamente pueda discipular a unas pocas personas, pero no olvide que Jesús alcanzó a todos los continentes solamente preparando a once personas.

No se imagine usted discipular a centenares. Dispóngase a discipular a una docena de personas, si puede más es mejor, PERO NO ES IMPORTANTE LA CANTIDAD.

Lo que importa es la calidad de esos discípulos, porque el propósito de Dios para la extensión de su reino es que todos discipulemos. Ahí está la cantidad.

Imagínese por un momento que cada uno de los cristianos que hay sobre el planeta discipulara solamente a tres personas. El mundo entero sería alcanzado mucho más rápido de lo que podemos imaginarnos, pero si usted NO EMPIEZA A DISCIPULAR AHORA, el mundo preparará muchas personas para que pueblen el infierno.

Estoy seguro de que cuando comience en serio esta tarea, otros cristianos se sumarán por su iniciativa. Además, es imposible que culpe a otros por no hacerlo usted. EMPIECE YA. DIOS LO RESPALDARÁ EN CADA SITUACIÓN. LE DEMOSTRARÁ QUE ÉL CAMINA CON USTED EN ESTA DIRECCIÓN.

En cuanto a los discípulos de Jesús se contaron por multitud, Lucas 19:36-38. También comisionó a más de setenta personas para distintas actividades, Lucas 10:1-2. Pero varias veces la Biblia especifica que llamaba aparte a doce discípulos que eran los más cercanos para instruirlos, enseñarles y comisionarlos. Mateo 10:1; 15:32; 20:20-28; Marcos 6:7-8; 12:41-44; Lucas 6:12-16. Pero dentro de los doce solamente tres de ellos conocían y compartían la intimidad del Maestro, Pedro, Jacobo y Juan. Él los tuvo cerca cuando ocurrieron cosas muy importantes en su ministerio y les enseñó cosas exclusivas a ellos, Mateo 17:1-13; Marcos 14:32-34. ¿Por qué hacía esto? ¿Cuáles eran sus objetivos? Hay que tener en cuenta que en el caso de la transfiguración les mandó que no lo dijesen a nadie; solamente podrían hacerlo después de la resurrección.

Jacobo, a poco de andar la iglesia, murió como mártir por la causa del evangelio y su glorioso Señor que él vio tiempo antes lleno de gloria junto a Moisés y Elías.

Pedro llegó a entusiasmarse tanto con esa experiencia de la transfiguración que quería hacerles enramadas para los tres: Moisés, Elías y Jesús. Solamente mucho tiempo después de la resurrección, cuando escribe la segunda carta Universal capítulo 1 versículos 16 al 18 puede decir abiertamente: «*Porque no os hemos dado a conocer el poder y la venida de nuestro Señor Jesucristo siguiendo fábulas artificiosas, sino como habiendo visto con nuestros propios ojos su majestad. Pues cuando Él recibió de Dios Padre, honra y gloria, le fue enviada desde la magnífica gloria una voz que decía: Este es mi hijo amado, en el cual tengo complacencia. Y nosotros oímos esta voz enviada del cielo, cuando estábamos con Él en el monte santo».*

El apóstol Juan escribe muchos años después que Cristo ascendiera a los cielos sobre la misma experiencia junto a Pedro y Jacobo: «*Y aquel Verbo fue hecho carne, y habitó entre nosotros (y vimos su gloria, gloria como del Unigénito del Padre), lleno de gracia y de verdad*» (Juan 1:14). Pero en su primera carta agregó: «*Lo que era desde el principio, lo que hemos oído, LO QUE HEMOS VISTO CON NUESTROS OJOS, LO QUE HEMOS CONTEMPLADO, y palparon nuestras manos tocante al Verbo de vida (porque la vida nos fue manifestada, Y LA HEMOS VISTO, y testificamos, y os anunciamos la vida eterna, la cual estaba con el Padre, Y SE NOS MANIFESTÓ)...*» (1 Juan 1:1-2).

Jesús, como buen líder, sabía perfectamente que esto no podría haberse mantenido en secreto si se mostraba a los setenta discípulos. Había cosas que sólo debía compartirlas a tres de ellos. Hay muchos motivos por los que Jesús obró así.

Usted, como buen imitador de Jesús, deberá compartir algunas cosas sólo con los más íntimos discípulos. Tenga presente esta manera de obrar de Jesús.

Capítulo XI

CÓMO DIRIGIR UNA CÉLULA

Horarios

No cabe duda que para hacer algo que pueda permanecer en constante crecimiento se necesita formalidad. El lugar prioritario en la formalidad, entonces, lo tiene el horario.

Las reuniones de células deben comenzar y terminar en horarios preestablecidos. Es preferible que la reunión propiamente dicha no dure más de hora y media a dos horas. Para poder hacer esto es necesario quedar de acuerdo con todo el grupo en un horario de comienzo y cumplirlo.

Hay que tener en cuenta que las células pueden tener lugar y horarios totalmente únicos y disparatados, como siestas, noches, fines de semana, madrugadas, etc. En cuanto a la formalidad del horario de comienzo y finalización debe ser observado.

De más está decir que el líder debe estar unos minutos antes del horario fijado. Desde la primera reunión se debe mostrar esta conducta con respecto al horario. Una vez hecho el hábito todo es más fácil.

Terminar la reunión de célula significa que se hace una oración de consagración. Después de acabar, puede tener lugar una conversación o atención de necesidades específicas.

¿Qué tema trato hoy día?

Principalmente hay que descubrir qué necesidad hay en ese momento. Quizás sean sanidad, liberación, salvación, pecados, etc. Si esto no se descubre y toda la reunión de célula se desarrolla en otro tema que no sea de interés para ese momento, se pueden producir las siguientes situaciones:

a) La atención de las personas será mínima o nula.
b) Quedará insatisfecha la necesidad.

Cómo descubrir las necesidades: A veces es bueno preguntar directamente si tienen alguna situación que requiera atención, algún problema familiar o alguna duda con respecto a la Palabra. Sólo si se define una situación de necesidad se toma el tema para tratarlo en la reunión.

También puede pasar que cuando se llega al lugar de reunión, en el saludo o cuando alguien empieza a comentar la necesidad hay que interesarse. Con preguntas directas hay que descubrir la necesidad. NO HAY QUE QUEDARSE CON LA INFORMACIÓN SUPERFICIAL. Las preguntas deben estar dirigidas hacia el centro o la raíz de la cuestión.

Por ejemplo: Lo que pueden parecer sólo discusiones familiares, puede tener su raíz en cuestiones espirituales, falta de paz (salvación), etc.

Hay que descubrir el problema desde el fondo.

PRESTE TODA LA ATENCIÓN POSIBLE. EL EVANGELIO ES PRÁCTICO. NUNCA SEA INDIFERENTE A UNA NECESIDAD.

Si no hay una necesidad urgente que requiera atención, avance con el número que sigue de reunión en el Manual de Reuniones de Células. Fíjese en el registro qué número de célula se desarrolló la vez anterior.

¿Por qué a dos? (El líder y el colaborador)

Cuando Jesús envió a predicar a sus discípulos tuvo el cuidado de mandarlos de dos en dos. Esto es digno de imitar, Lucas 10:1.

La experiencia de todos los cristianos del mundo avalan esto. Además, en las células tiene un fin práctico porque el que empieza colaborando será el que dirija a la nueva célula que se divida de allí.

El líder está discipulando a su colaborador. El colaborador apoya constantemente la tarea del líder. Ambos crecen. Cuando se divide la célula por su funcionamiento normal, la nueva célula ya tendrá su líder. ESTE PROCESO NO DEBE ACABAR NUNCA.

En la nueva célula debe buscar inmediatamente su colaborador.

El líder dirige la reunión de célula

Usted determina y acuerda con los participantes el horario, lugar, invitados, etc.

El líder hace las preguntas y cuida que las respuestas no lo lleven lejos del tema.

Con amabilidad hace callar a los que hablan más y hace participar a los que no se integran a la conversación.

El líder es quien se interesa personalmente por las necesidades urgentes.

También programa lo que hará seguidamente de esa reunión. Por ejemplo: visitas, salidas al campo, festejos diversos, etc.

El líder debe pedir a su colaborador ayuda en cuanto a planillas, ofrendas, visitas extras, oraciones especiales, etc.

Objetivo

Es sabido que sin un objetivo claro, definido y planificado no se puede llegar a ningún lugar. Para eso vamos a ponerlo por escrito delante nuestro. Escríbalo con letras grandes en algún lugar que sea accesible para usted. El objetivo de las células es compuesto:

ALCANZAR MÁS ALMAS PARA EL REINO DE DIOS
Y CRECER EN LA VIDA CRISTIANA

Hay que tener a la vista Romanos 12:1-21

La oportunidad de aconsejar y llevar a alguien a Cristo se presentará muy a menudo. La presentación del plan de salvación se nos hará natural porque será cosa de todos los días, aunque tendremos en cuenta que hay posibilidades ciertas en cuanto a pérdidas, tal como lo explica la parábola del sembrador, Marcos 4:1-20.

Nosotros debemos trabajar en base a esa semilla que germinará y seremos responsables de regar y cuidar lo suficiente como para que crezca con fuerza y finalmente lleve frutos. Este acto de regar y cuidar, es lo que podríamos llamar SEGUIMIENTO.

He conocido muchísimas personas a las cuales les hablaron de Cristo simplemente, a otras las invitaron a los cultos de la iglesia y se conformaron con que fueran unas cuantas veces y nunca más las vieron.

Otras, he visto, han tomado una rápida decisión por el Señor y llevados por quien les hablaba hicieron una entrega inmediata, dejándole luego sin SEGUIMIENTO.

Queda una pregunta. ¿Cuál es el objetivo de una presentación del evangelio de esa manera? ¿Qué ganamos con que la persona a la cual tenemos el privilegio de presentarle la salvación, luego de una rápida entrega a Cristo, no viva la vida cristiana por falta de SEGUIMIENTO? ¿Podemos darnos por satisfechos si se ha logrado que esa persona concurra a los cultos por algunas veces nada más?

El acto de culto a Dios es solamente para quienes saben lo que es adorar, alabar y exaltar al Señor de señores. Entonces, perdónenme por esto, no podemos meter nosotros a personas que no saben, ni conocen, ni viven la vida cristiana para que sean «EVANGELIZADOS» en medio de la congregación.

No quiero desconocer con esto que muchos de los cristianos actuales y quizás usted sea uno de ellos, fue ganado así para el Señor. Pero esto no prueba que sea suficiente para terminar de ganar para Cristo a toda la Humanidad. Jesús dejó explícitamente escrito cómo debemos hacerlo y nos garantizó que el evangelio sería predicado a todas las naciones así.

Hay una extensa lista de cosas que ni el Dios Padre, ni el Dios Hijo, ni el Espíritu Santo harán, y entre ellas está que ellos no evangelizarán, ni harán SEGUIMIENTO a los recién entregados.

¿Se da cuenta, por lo que venimos exponiendo, cómo forzamos a que el evangelio entre en el mecanismo de los cultos? Después de leer este capítulo no podrá ir y venir a los cultos mecánicamente nunca jamás.

El seguimiento es el proceso de brindar atención continua a cada nuevo creyente hasta que se haga un miembro activo del cuerpo de Cristo, se integre a una congregación, empiece a caminar en la vida cristiana, descubra su ministerio, desarrolle a plenitud la capacidad de sus dones para servir a Jesús y contribuya a la edificación de la iglesia. Veamos paso a paso detenidamente.

Pablo sentó esta pauta. Su estrategia y métodos fueron tan eficaces que no sólo sirvieron a su época, sino hoy mismo dan resultados altamente positivos.

1. El amor e interés de Pablo por los nuevos creyentes fueron tan intensos que estuvo dispuesto a pagar

cualquier precio. «*Tan grande es nuestro afecto por vosotros que hubiéramos querido entregaros no sólo el evangelio de Dios, sino también nuestras propias vidas; porque habéis llegado a sernos muy queridos*» (1 Tesalonicenses 2:8).

Ese es el obstáculo mayor que presenta la prédica del evangelio actualmente. La falta de voluntad, de aprecio, amor e interés por los nuevos creyentes. Pocos están dispuestos a dar tiempo, cuidado y compromiso a las personas que están recibiendo el evangelio. Debemos anotar a esta situación como una de las causas por la cuales el mundo todavía no ha sido ya evangelizado totalmente.

Si en toda nuestra vida de cristianos sólo hiciéramos este trabajo de SEGUIMIENTO a una sola persona, el número de cristianos en todo el mundo sería simplemente el doble de los que somos en la actualidad y puedo asegurar que estaríamos camino a ganar otra duplicación más en menos de un lustro, pero... ¿Quién tiene amor e interés y está dispuesto para este trabajo que además es un mandamiento? Por el momento parece que preferimos ir y venir mecánicamente a los cultos, nada más.

2. Pablo estaba ocupado en el crecimiento y desarrollo de los nuevos cristianos. La meta principal era que Cristo sea formado en ellos. «*Hijitos míos, por quienes vuelvo a sufrir dolores de parto, hasta que Cristo sea formado en vosotros*» (Gálatas 4:19).

   Las cartas mantuvieron en contacto permanente a Pablo y los nuevos creyentes. ¡Ojalá pudiéramos vivir en alguna medida lo que esto significa!

   Si usted desea bendecir a otros con el evangelio tiene que tener primeramente este compromiso y ocupación. Pídale al Señor esta carga por quienes están conociendo recién el evangelio.

3. Las oraciones de Pablo denotan el deseo de su corazón y su profundo interés por servir a las personas llenando sus necesidades. «*Orando de noche y de día, con gran insistencia, para que veamos vuestro rostro y completemos lo que falte a vuestra fe*» (1 Tesalonicenses 3:10).
   ¡Qué insistencia! No se conformaba con hacer todo lo que estaba a su alcance, sino que con ahínco pasaba prolongadas y frecuentes horas de oración a Dios para que sean sostenidos aquellos que recibieron al Señor en sus corazones, pero que ahora necesitaban fortalecer su fe en el Camino.
4. Pablo no descuidó ningún detalle del SEGUIMIENTO. Cuando él no podía ir personalmente a ellos, enviaba a hombres a quienes él mismo había preparado como líderes. Les dice de esta manera: «*Por lo cual, NO PUDIENDO SOPORTARLO MÁS, acordamos quedarnos solos en Atenas, y enviamos a Timoteo nuestro hermano, servidor de Dios y colaborador nuestro en el evangelio de Cristo, para confirmaros y exhortaros respecto a vuestra fe, a fin de que nadie se inquiete por estas tribulaciones; porque vosotros mismos sabéis que para esto estamos puestos*» (1 Tesalonicenses 3:1-3). A esto no hay nada que agregar. El cuidado que tenía el apóstol para con los recién convertidos casi no tenía límites.
   Pareciera que estos hermanos se enteraron de las tribulaciones que estaban sufriendo los apóstoles y hermanos misioneros del evangelio y Pablo no quería que ni se inquietaran por lo que ellos estaban pasando. Entonces tomó recaudos y envió a uno de sus discípulos para que los CONFIRME Y LOS EXHORTE EN LA FE a los recién convertidos. Es casi como el cuidado de un padre para con sus hijos pequeños.
5. Pablo enviaba a uno de los suyos si él personalmente no podía ir. Por esta sola razón no quepa la

menor duda de que el éxito de la prédica del apóstol Pablo fue que él mismo volvió personalmente a los hermanos y grupos de creyentes que ya estaban empezando a constituirse en congregaciones para encontrarse con ellos y de esa manera continuar la enseñanza en este sentido:

a) Su segundo viaje significó la confirmación de lo ya establecido, lea esta cita. «*Después de algunos días. Pablo dijo a Bernabé: Volvamos a visitar a los hermanos en todas las ciudades en que hemos anunciado la palabra del Señor, PARA VER CÓMO ESTÁN*» (Hechos 15:36).

b) El tercer viaje tuvo el mismo propósito: «*Y después de estar allí algún tiempo salió recorriendo por orden la región de Galacia y de Frigia, confirmando a todos los discípulos*» (Hechos 18:23).

LOS NUEVOS CREYENTES NECESITAN CUIDADOS POR VARIAS RAZONES. Y ALGUIEN DEBE ADMINISTRARLES ESA ATENCIÓN. ESTO SIGNIFICA ESTAR CAPACITADO PARA AYUDAR ACONSEJANDO EN TIEMPOS POSTERIORES A LA ENTREGA A CRISTO DE LAS PERSONAS, ANIMÁNDOLAS A DESARROLLAR LA VIDA DE CRISTO EN ELLOS. AUNQUE SEAN TIERNOS TODAVÍA, DEBEN CONSOLIDAR CADA PASO EN EL CAMINO DE CRISTO

EL SEGUIMIENTO DEBE DARNOS POR RESULTADO TENER NUEVOS CRISTIANOS CON LA VIDA DE CRISTO EN PLENITUD DENTRO DE ELLOS.

Prohibido, terminantemente prohibido

Si un grupo de hermanos se reúnen en una casa y su tema de conversación son los hermanos, pastores y/o congregaciones, hablando mal de ellos, ES MUY EVIDENTE QUE NO QUIEREN GANAR MÁS ALMAS, NI CRECER EN LA VIDA CRISTIANA. ADEMÁS, ES LA MEJOR CAMPAÑA EN CONTRA DEL MISMO EVANGELIO.

• ¿Qué se hace si sale la conversación de parte de los invitados?

Se escucha hasta el momento en que permiten hablar y se les aconseja que si tienen algún problema, con personas o instituciones, traten de arreglarlos con ellos, porque en las células no tenemos soluciones para esa situación.

• ¿Qué hago si hablan mal de mi pastor?

No debe enojarse. Jesús ya lo dijo con anticipación que así sería, Mateo 5:11. Tampoco apruebe ni desapruebe lo que dicen. Remítase a esperar la oportunidad para continuar con su trabajo, desarrolle lo que falta de la reunión, no haga ningún comentario, ni para bien ni para mal.

¿A qué iglesia llevo los nuevo convertidos?

Ningún hombre, ninguna institución, ninguna raza y ni siquiera ningún pueblo tiene la EXCLUSIVIDAD DE LA CRUZ DE CRISTO (Apocalipsis 7:9-17). Algunos parecen trabajar predicando el evangelio como si de ellos fuera EXCLUSIVIDAD la cruz de nuestro Señor, porque si no se congregan donde ellos van, prácticamente ponen en peligro la salvación de su alma. ESTO NO DEBE SER ASÍ. DEBEMOS ALGUNA VEZ PENSAR EN QUE PERTENECEMOS AL EVANGELIO DEL REINO DE DIOS. NOSOTROS DEBEMOS PREDICAR EL EVANGELIO TAL COMO LO HICIERON NUESTROS HERMANOS DE LOS HECHOS DE LOS APÓSTOLES. LOS QUE PREDICABAN, DIJERON MUCHAS VECES QUE PREDICABAN EL EVANGELIO DEL REINO DE DIOS.

Ninguno estuvo trabajando para su huerta. Nadie estuvo disputando por las almas. Cuando hubo diferencias entre hermanos Pablo dijo: «*Yo planté, Apolos regó, pero al crecimiento lo ha dado Dios*» (1 Corintios 3:6). Y no pudo seguir la cuestión.

La primera posibilidad es que se congreguen en la iglesia donde asiste el líder. La segunda es que por razones de distancia se congreguen en la iglesia más cercana a su domicilio y la tercera es que elijan una iglesia donde se sientan cobijados y pastoreados, donde a su vez entiendan y acepten el evangelio vivido en las casas.

Indefectiblemente los nuevos convertidos deben congregarse en alguna iglesia estable. Si esto no ocurre se corre el riesgo de perderlos definitivamente con un alto grado de posibilidad que sean irrecuperables.

Preste oído

Uno de los males más grandes que tiene la época actual es que nadie puede ni quiere escuchar nada. TODOS QUIEREN HABLAR. Todos quieren ser protagonistas. Todos quieren ser el centro de atención. En definitiva, nadie quiere escuchar a otros.

Todos tienen demasiados problemas como para escuchar algunos más. Quizás inconscientemente transmitimos este mal, así le llamo a la capacidad de no escuchar, de generación en generación demostrando casi cotidianamente cuán poco podemos escuchar a nuestros semejantes. Sufrimos esta epidemia también como padres y como hijos.

SI USTED HACE UN PEQUEÑO ESFUERZO POR ESCUCHAR A LOS DEMÁS, SERÁ EL CENTRO DE ATENCIÓN Y QUIEN PODRÁ HABLAR SEGUIDAMENTE MIENTRAS LOS DEMÁS ESCUCHEN.

- ¿Qué propósito tiene escuchar?

Esto debe servir solamente para poder brindar un servicio especial en el Cuerpo de Cristo. Escuchar a los que tienen algo para decir de sus vidas y poder guiarlos a Cristo.

Lea con atención los Evangelios y descubrirá que escuchar fue la principal tarea de Jesús. Luego de escuchar a los demás, tenía la posibilidad de llevarlos a Dios. JESÚS NO PASÓ LOS TRES AÑOS DE MINISTERIO HABLANDO SIN PARAR. JESÚS PRIMERO ESCUCHABA MUY ATENTAMENTE PARA PODER HABLAR. ¡ESTO DEBE IMITARSE TOTALMENTE!

Esto también sirve para que no se pase ligeramente por donde hay una necesidad. Tome todo el tiempo y todos los recursos posibles para cada una de las necesidades que exponen los integrantes de la célula.

- ¿Qué debe escuchar?

No está de más decir que solamente debe escuchar con atención lo que sea de edificación, algo de interés, alguna necesidad, etc. Pero en cuanto usted ha empezado a escuchar lo que se parezca a una crítica, chismes o cosas semejantes, pare a la persona que está hablando ahí mismo, puede decirle:

«Hermano/a yo te aprecio mucho pero quiero que sepas que no voy a escucharte nada que sea críticas, chismes y cosas parecidas. Esta es mi conducta, discúlpame...» y pase a otra cosa ahí mismo.

Haga esta diferencia en público o privado. Quizás no sea comprendido pero si usted entra en este juego del diablo, de la crítica y el chisme, dé por perdido todo trabajo que haya realizado o pretenda realizar.

PERSONALMENTE HE VISTO CÓMO EL CHISME Y LA CRÍTICA HAN HUNDIDO HERMOSOS HERMANOS, MINISTERIOS E IGLESIAS COMPLETAS, EN LO MÁS BAJO DE LAS MAQUINACIONES SATÁNICAS.

Quiero apuntar algo interesante: Si usted está desarrollando un trabajo hermoso en el Señor y el diablo no puede ponerse en frente suyo para batallarlo, él se unirá a su paso y penetrará por los oídos de todos aquellos que quieran escuchar chismes y críticas. Le aconsejo que si descubre esta mortal táctica del diablo ore con todos echando fuera al maligno y a todos los demonios que trabajen allí destruyendo la obra de Dios. No estaría mal hacer liberación a las personas que desean ser liberadas de este flagelo.

PRESTE OÍDO ESCUCHANDO MUY ATENTAMENTE LO QUE LE DICEN. CUÍDESE DE NO CAER EN LA MORTAL TRAMPA DEL DIABLO, SIENDO ATRAPADO EN CRÍTICAS Y CHISMES.

PARE CUALQUIER CONVERSACIÓN. ORE POR LIBERACIÓN SI ES NECESARIO.

Usted debe ir a la casa de los inconversos

Esto tiene una larga explicación. Hay demasiados motivos para ir a las casas de los que no conocen al Señor. Y si tratamos de tener reuniones de células lo hacemos por estas razones:

1. *«... si la casa fuere digna, vuestra paz vendrá sobre ella»,* dice Jesús en Mateo 10:13.
   ¡ESTO NO ES POCO! ¿Sabe lo que sienten las personas que no tienen la paz de Dios en su casa y después de que usted ha pasado por allí, cantando, orando, dando la Palabra del evangelio del reino de Dios, HAYA QUEDADO PAZ EN LA CASA? ESO ES MUY NOTABLE; LUEGO, LAS PERSONAS DESEARÁN QUE VUELVA ALLÍ.
2. *«... si hubiere allí algún hijo de paz, vuestra paz reposará sobre él...»,* dice Jesús en Lucas 10:6. Para que esto ocurra usted debe saludar esa casa diciendo: *«LA PAZ SEA SOBRE ESTA CASA»* (versículo 5). ¿Usted sabe el valor que tiene esta afirmación bíblica para esa persona? El cambio que puede experimentar no puede describirse con palabras. Será, sin duda, un nuevo testimonio de vida. TODO ESTO OCURRE SI VAMOS A LA CASA DE LOS NO CONVERTIDOS. Allí están los que necesitan la paz en sus corazones y en sus casas.
   Llevado de esta forma, el evangelio deja de ser meras palabras para mostrar el poder de Dios. 1 Corintios 4:20.
3. Si hay influencias demoníacas de cualquier orden serán echadas fuera en el nombre de Jesús. Los cambios serán notables para los moradores de esas casas. Recuerde esta cita: *«Yo os he entregado, como lo había dicho a moisés, TODO LUGAR QUE PISARE LA PLANTA DE VUESTRO PIE»* (Josué 1:3).

4. Estando en una casa de convertidos, hay muchas más posibilidades de que cualquier persona, amigos, vecinos o parientes también escuchen la Palabra del evangelio del reino de Dios. Es como extender un reguero de pólvora. La multiplicación de las células empieza a ser vertiginosa. Ello nos lleva a preparar más discípulos del Maestro. ENTONCES CUMPLIMOS LA GRAN COMISIÓN. «*Toda potestad me es dada en el cielo y en la tierra. POR TANTO, ID Y HACED DISCÍPULOS A TODAS LAS NACIONES, BAUTIZÁNDOLOS...*» (Mateo 28:18, 19).
5. Si una persona sola se entrega al Señor en una iglesia y tiene toda la familia en contra, será difícil su crecimiento. Pero si vamos a la casa de los inconversos, TODA LA FAMILIA será tocada con la Palabra del Señor. HABRÁ MUCHAS MÁS POSIBILIDADES, PARA LOS QUE SE ENTREGAN AL SEÑOR, DE UN CRECIMIENTO FIRME EN EL EVANGELIO.
6. Aunque parezca, esto no es reiterativo:
SÓLO EN LAS CASA DE LOS INCONVERSOS ENCONTRAREMOS LA VERDADERA NECESIDAD DEL EVANGELIO DEL REINO DE DIOS.

No debe juzgar nada

Cuando usted entra en cualquier casa, ya sea de inconversos o creyentes, NO JUZGUE NADA DE LO QUE HAYA ALLÍ.

Generalmente en casa de inconversos hay ídolos, estampas, velas, oraciones a demonios, etc. NO JUZGUE LO QUE HAY ALLÍ DICIENDO A LAS PERSONAS QUE ESO ESTÁ MAL. Todas las personas creen que lo que ellos tienen es lo mejor de lo mejor. Sólo si ellos sacan la conversación puede hablar del tema específicamente, pero vea hasta dónde puede ir cuidadosamente.

Deje trabajar libremente al Espíritu Santo. Él es quien convence al mundo de PECADO, JUSTICIA Y JUICIO

(Juan 16:8). Usted debe llevar la Palabra de Dios con toda su fuerza, y el Espíritu Santo hará su parte.

Si la situación, cualquiera que fuese, se viera forzada por su deseo de CONVENCER a las personas, tiene asegurado el rechazo, la discusión sobre puntos de vista pueden ser tediosas y hasta pueden cerrar las puertas de una casa. Si el Espíritu Santo CONVENCE usted logrará que las cosas que estaban mal sean erradicadas de raíz y para siempre. Pruébelo.

Voy a contarles un ejemplo.

Hablé del Señor a Ismael, un compañero de trabajo por espacio de varios meses. Se entregó al Señor y concurría a la iglesia. Esta persona tenía sesenta y nueve años y había estado fumando desde los quince años, o sea, fumó más de cincuenta años. Mientras hablaba del Señor esta persona fumaba bastante, pero nunca, JAMÁS, dije nada acerca del cigarrillo. Sabía perfectamente que un vicio llevado por tanto tiempo solamente el Espíritu Santo podría convencerlo de que eso era malo. Hubo ocasiones en las que tuve que comprarle cigarrillos yo mismo porque a él le faltaba el dinero y necesitaba saciar el vicio desesperadamente. Sin embargo, el día que se bautizó oré fervientemente a Dios por ese motivo. Al salir para su casa en bicicleta, metió la mano en su saco, tomó un cigarrillo en su mano, y allí, el mismo Espíritu de Dios lo convenció de que dejara por completo de fumar. Así, él respondió al Señor que dejaría de fumar con su ayuda, pero para mayor testimonio, quería tener los cigarrillos en el cajón de su mesa de luz a la vista. Nunca más tuvo deseo de probar uno.

ESO ES QUE ALGUIEN SEA CONVENCIDO POR EL ESPÍRITU SANTO.

Él mismo me decía: Pero, ¿por qué nunca me dijiste nada de esto en todo el tiempo que nos conocemos? Al fin concordamos que si trataba de convencerlo a lo mejor ganaría convencerlo mentalmente que eso lo estaba destruyendo. PERO NO HUBIERA PODIDO DARLE LA FUERZA INTERIOR QUE DA EL ESPÍRITU SANTO, PARA SACAR ALGO TAN ARRAIGADO.

Recuerde esto: «*No juzguéis, para que no seáis juzgados. Porque con el juicio que juzgáis, seréis juzgados, y con la vara con que medís, os será medido*», dice Jesús en Mateo 7:1-2.

Debe imitar todo lo bueno

Una cosa se ha descuidado entre cristianos y es la IMITACIÓN. IMITAR TODO LO BUENO. Si no vamos a aceptar críticas, chismes, calumnias ni cosas parecidas, ¿en qué consistirá nuestra conversación? Sin ninguna duda que tiene que ser en TODO LO BUENO Y NADA MÁS QUE LO BUENO.

Así como el chisme y la crítica DESTRUYEN, las cosas buenas que se comentan entre hermanos CONSTRUYEN. Debemos crear esta conducta, si no estamos hablando algo constructivo, estemos callados.

Este tema no es una cosa superficial. Miremos en la Palabra de Dios con respecto a qué cosas debemos tener en mente y cuáles deben ser los temas de conversación. Efesios 4:25; Tito 2:1; Santiago 1:19.

También lo que hablamos surge de lo que constantemente pensamos. Miremos Filipenses 4:8-9; esto a su vez es para que lo comentemos e IMITEMOS.

La IMITACIÓN es un mandato bíblico descuidado casi por completo por los cristianos. Leamos detenidamente esto. 1 Corintios 11:1; 4:16; Efesios 5:1; Hebreos 13:7; 6:11-12; Filipenses 3:17; 1 Tesalonicenses 1:6; 2:14; 2 Tesalonicenses 3:7-9; 3 Juan 11.

LA IMITACIÓN DE LO BUENO DEBE SER UNA CARACTERÍSTICA SOBRESALIENTE COMO LÍDER CRISTIANO. ESTO ES DAR TESTIMONIO CON LA VIDA MISMA DE LAS COSAS PRÁCTICAS QUE TIENE EL EVANGELIO.

¿Qué peligro puede haber en nuestra relación diaria con nuestros semejantes si cumplimos concretamente esta palabra? NINGUNA. Además, tenemos garantizado un crecimiento sin límites en nuestra vida espiritual.

AUNQUE LA IMITACIÓN SE HAYA PERDIDO ENTRE CRISTIANOS, NOSOTROS PODEMOS PONER POR OBRA LA PALABRA DE DIOS EN NUESTRAS VIDAS. ASÍ OTROS TAMBIÉN NOS IMITARÁN.

Una manera diferente de testificar de Cristo

El líder de célula tendrá en cuenta a las personas que entregaron su vida a Cristo y si hubo un cambio notable, aquellas que haya recibido sanidades, maravillas o prodigios que sean notables para hacer el siguiente trabajo.

Hablará con esos hermanos/as para saber si están de acuerdo en escribir brevemente su testimonio en unas ciento cincuenta o doscientas palabras. Esto implicará hacerle saber a la persona que quiera hacerlo, que es solamente para glorificar a Dios y que tendrá mayor compromiso al hacer conocer cómo Dios obra. Ella debe ser veraz porque pueden conocer de Cristo todas aquellas personas que lean su testimonio.

El testimonio tendrá este formato:

Título: DIOS OBRA PODEROSAMENTE, ESTE ES MI TESTIMONIO.
Datos: Nombre y Apellido. Dirección. Teléfono. Zona, Sector, Grupo.
Líder: Nombre y Apellido
Preguntas para contestar específicamente:
¿Cuándo se entregó a Cristo?
¿Quién le habló del evangelio del reino de Dios?
¿Por qué motivos le habló?
¿Qué cambios han ocurrido en su vida desde que obtuvo perdón de pecados?
¿Es diferente hoy su vida?
¿Dios obró algún milagro? (sanidad, maravilla, prodigio, señales). Cuente brevemente.

Tiene que ser visado por el supervisor y el pastor principal de la iglesia. Una vez preparado convenientemente será reproducido y entregado a los líderes de células, ellos se encargarán de hacer llegar estos testimonios a cada casa del barrio donde desarrolla la célula y a personas que necesiten tener evidencias del obrar de Dios.

Sirve como medio para glorificar a Dios en cada grupo de células.

Es un incentivo para aquella persona que empieza a caminar en la vida cristiana, teniendo la responsabilidad de mantener una fluida comunión con su Creador. En la célula donde haya ocurrido este hecho seguramente el grupo sentirá de cerca que Dios está realmente obrando entre ellos.

El líder tendrá también un medio DIFERENTE DE TESTIFICAR A CRISTO en el barrio donde trabaja con reuniones de células.

Tiene que ser visado por el supervisor y el pastor principal de la iglesia. Una vez preparado convenientemente, será reproducido y entregado a los líderes de células, ellos se encargarán de hacer llegar estos testimonios a cada casa del barrio donde desarrolla la célula y a personas que necesitan tener evidencias del obrar de Dios.

Sirve como medio [illegible] glorificar a Dios en cada [illegible] a animar en la vida cristiana, [illegible] lidad [illegible] mantenerse unido [illegible] comunión con su creación. En la célula donde [illegible] este hecho seguramente el tiempo [illegible] cerca de Dios y [illegible] obrando entre ellos.

El líder tendrá también un medio [illegible] en el barrio donde trabaja con [illegible] de células.

Capítulo XII

CARACTERÍSTICAS GENERALES DE GRUPOS DE CÉLULAS

En las células hay libertad para compartir y para preguntar; para poder expresar cada miembro lo que tiene de Dios o para poner en evidencia alguna valoración, postura o idea, sea esta acertada o equivocada. En el grupo de células es necesario e indispensable esta interacción de sus participantes. Quizás sea esto particularmente lo que le da la característica única y peculiar de los demás grupos de la comunidad cristiana.

El problema de los sermones o prédicas que escuchamos asiduamente, no son su contenido, por supuesto, sino que son monólogos. Quien los expone no tiene idea de lo que están pensando ni sintiendo sus oyentes, y éstos, a su vez, tampoco tienen la oportunidad de pedir aclaraciones, explicaciones más extensas o de preguntar y exponer sus pensamientos.

En las células se debe insistir en que el grupo participe y que todos intervengan. Hay que hacerles notar regularmente que esta oportunidad de preguntar y expresarse es única e importante para su afianzamiento en Dios. Quizás el que preside la reunión de célula deba preguntar directamente a cada persona y esperar respuestas de los participantes reticentes al diálogo.

Este ambiente de diálogo y expresiones personales de cada uno de los participantes despierta en muchas personas un interés genuino en la Palabra de Dios y en el estudio de la misma aun cuando antes hayan sentido indiferencia.

En los cultos congregacionales estamos todos juntos, pero nos falta una relación personal con nuestros hermanos. En un grupo pequeño todos pueden conocerse como personas, y esto a su vez crea una rampa de largada de nuestra comunicación de la fe. Un interés real y sincero por la Palabra de Dios y lograr intercomunicación en un grupo, hacen posible compartir acerca de Jesucristo y su salvación con otras personas.

El creyente que está acostumbrado a escuchar solamente de Jesús sentado en su congregación no tiene la capacidad de explicar ni comunicar a otros el evangelio, sólo PORQUE NO SABE HACERLO. Las células brindan la oportunidad de preguntar, expresarse y comunicar a otros lo que sabe o conoce de Dios. Estas experiencias en células le servirán seguramente en otras circunstancias, como por ejemplo, viajes, trabajos, colegio, universidad, etc.

Las células traen aparejado una posibilidad de trabajo dentro del cuerpo de Cristo a miembros que de otra manera «no tienen qué hacer» y están inactivos. Hay siempre jóvenes, mujeres y hombres mayores, que tendrán la posibilidad de liderar una célula. Esto les hace estar comprometidos con su congregación y están compartiendo necesidades y bendiciones junto con toda la iglesia. Además, lo más importante, están empezando a poner por obra el mandato de la Gran Comisión efectivamente porque están discipulando. Mateo 28:16-20.

Soy un convencido de que el hermano que en su congregación no tiene compromiso con el evangelio, predicando, enseñando, ministrando en los diversos dones y ministerios del Cuerpo de Cristo, ES UN CRISTIANO DESOCUPADO. Si toda su actividad se reduce a ser espectador en la iglesia es un DESOCUPADO EN LA VIÑA DEL SEÑOR.

Generalmente los DESOCUPADOS se encargan de encontrar errores en todas las actividades y quehaceres de la iglesia. Es difícil que no tengan algo para «objetar» de su pastor porque hace esto o aquello. He visto que los DESOCUPADOS se encargan de hablar en unos y otros de lo que no está bien, en vez de ser parte de la solución de las cosas que no están bien.

En fin, alguien que no está comprometido con el evangelio del reino de Dios y su accionar a través de la iglesia haciendo discípulos y dice ser parte del Cuerpo de Cristo, ES UNA CONTRADICCIÓN EN SÍ MISMO, ADEMÁS DE UN PROBLEMA.

Nadie que haya conocido al Señor ha quedado excluido, por ningún motivo, de la Gran Comisión. Jesús no contempló la posibilidad de DESOCUPADOS en su viña.

DISCIPULAR ES UN MANDAMIENTO.

¿Cuándo se divide una célula?

Una célula se divide cuando naturalmente necesita dividirse. Los motivos pueden ser muchos, por ejemplo: Falta de espacio físico para las reuniones, lejanas distancias de las personas que participan, necesidades específicas, horarios, etc.

¿Cómo se divide una célula?

Una célula se divide separando a un grupo ya constituido en dos partes. Naturalmente, todos deben participar de dicho momento pues requiere ayuda en oración hasta que la nueva célula se establece.

El líder puede darse cuenta en qué momento necesitan dividirse, pero a partir de los papeles que normalmente tienen que ir llenando cada célula (la explicación está en el capítulo XIII). El supervisor ya tendrá algunos parámetros para sugerirle la división.

Una célula nueva necesita de una nueva casa de reunión. De una persona que desde el primer día se haga cargo de ella como líder. De un colaborador para dicho líder. Estos son los requisitos sin los cuales sería torpe dividir una célula ya existente. Para eso vamos preparando al futuro líder que se encargará de la célula recién formada.

LA VIDA: Producir células a partir de las ya existentes ES EL GRAN DESAFÍO. Así como todo organismo que tiene vida, las reuniones de células necesitan dividirse para mantener vivo al cuerpo. La cantidad de vida de un organismo puede medirse perfectamente por la cantidad de células vivas que tiene. A su vez las células están preparándose para reproducirse indefinidamente, esto significa dividirse.

LA ÚNICA MUESTRA IRREFUTABLE DE QUE SU CÉLULA ESTÁ VIVA ES SI ESTÁ REPRODUCIENDO MÁS CÉLULAS.

¿Cuándo se cierra una célula?

Una célula se debe cerrar si han pasado 6 meses y no se puede dividir. El primer síntoma es que la célula no convoca a nadie, por eso no crece en número, de manera que no está trabajando lo suficiente como para llevar el evangelio a los vecinos y esto muestra falta de eficacia en la oración. El segundo síntoma está relacionado con los componentes de la célula en sí. Están mirándose unos a otros, hablándose y midiéndose unos a otros, eso no edifica a nadie y es posible que estén en problemas de chismes. El tercer síntoma es el que el líder no está haciendo su trabajo efectivamente. Si una célula ha pasado su cuarto mes sin crecer, su líder tiene que ponerse en alerta roja. Hay unos pasos a seguir:

1. El supervisor de la iglesia debe hacerse presente en el lugar y reunirse con el líder, el colaborador y los integrantes de la célula.
2. Ubicar en la zona o barrio otras células y acomodar a cada uno de los integrantes en ellas.

3. El líder de la célula que se cierra debe pasar a ser miembro o colaborador en la célula que sea asignado.
4. El supervisor debe controlar que las personas que integraban la célula que cerró efectivamente estén trabajando en otra.

Razones por las que los grupos no crecen

Falsos conceptos de por qué no crece una célula

1. No soy graduado de un Seminario bíblico
2. Los miembros de la célula no me apoyan
3. Dios usa solamente los hombres, soy mujer y no puedo
4. Esto funciona en Corea, México o Singapur, pero no en Argentina
5. Es difícil e imposible
6. No tengo tiempo
7. Mi pastor o supervisor no me apoya lo suficiente
8. Los hermanos de la célula no me acompañan
9. Ya saturamos el barrio
10. Dios quiere calidad, no cantidad
11. Dios no contesta nuestras oraciones
12. Tengo mala suerte
13. Satanás es demasiado poderoso
14. La gente es dura y no quiere
15. La gente no tiene tiempo para asistir
16. La gente es demasiado religiosa
17. Revisé todo y no sé qué es lo que falla
18. El sistema de células es demasiado rígido y complicado
19. Este no es el tiempo
20. Parece que no es voluntad de Dios

Haga los ajustes que sean necesarios

Hay grupos que no crecen y por ende no pueden dividirse. Nunca piense que es por falta de bendición de Dios. Revise el listado de posibilidades POR LAS CUALES LAS CÉLULAS SÍ PUEDEN ESTAR ESTANCADAS y haga un completo análisis de la situación de su célula.

Si pasan uno o dos meses y todavía no hay personas convertidas algo está fallando gravemente.

Si pasan seis meses y no ha crecido lo suficiente como para dividirse hay que tratar seriamente la cuestión cerrando la célula. Antes de eso hay posibilidad de 100 % de causas que son corregibles y solucionables, PERO NO PUEDE DEJAR PASAR EL TIEMPO DESANIMÁNDOSE.

Razones reales por las cuales los grupos de célula no crecen

Transcriba por separado todas las citas, cada una con su número.

1. *Cuando el líder es de mal carácter:* Siempre hay ofensas, orgullo, préstamos no cumplidos, egoísmos, impuntualidad, pleitos diversos, etc. Tito 1; 1 Timoteo 4:10-16; Lucas 17:1-2; Josué 7
2. *Cuando al líder le falta visión y motivación:* Proverbios 29:18; Habacuc 2:2; Hebreos 10:24
3. *Cuando el líder no sabe poner armonía en el grupo:* Salmos 133; Efesios 4:1-3
4. *Cuando al líder le falta oración y fe:* 2 Crónicas 7:14; Salmos 2:8; Santiago 1:6-7
5. *Cuando el líder no va a la casa de los inconversos:* Lucas 14:23; 19:10; Mateo 10; Proverbios 11:30
6. *Cuando el líder descuida a los ya alcanzados:* Mateo 18:12; 25:36-43; Jeremías 23:2
7. *Cuando el líder tiene pereza:* Proverbios 13:4; 21:25; Eclesiastés 10:18

8. *Cuando el líder no sabe equilibrar las reuniones:* Puede que sean muy tensas o totalmente desconcentradas. 1 Corintios 14:26,40
9. *Cuando el líder se resiste a recibir ayuda:* Quiere hacerlo todo él solo
10. *Cuando el líder no sigue el sistema de grupos de células correctamente:* Habla demasiado tiempo, no da cuentas a nadie, no es sumiso, no quiere ser enseñado, no busca a posibles líderes en su grupo, tiene irresponsabilidad, no delega ningún trabajo, etc. 1 Corintios 14:40; Hebreos 13:7, 17.

Sugerencias prácticas

Si usted quiere que los participantes de su célula estén con ánimo, creciendo y en constante acción dentro del trabajo de evangelismo por las casas, haga esto:

Organice visitas: De dos en dos pueden hacer visitas a vecinos, parientes, enfermos, necesitados y hogares amigos de personas inconversas, fuera de los horarios de reuniones de célula, para estar en contacto, conversar con ellos y ofrecerse en su ayuda. Siempre atentos a la posibilidad de que escuchen el evangelio.

Organice visitas periódicas: Las personas que hayan participado de las células deben ser visitadas de manera sistemática entre los días que no hay reunión. Sobre todo si ellas necesitan ayuda por enfermos, imposibilitados, problemas familiares o personales. En todos los casos siempre deben ir de a dos.

Organice encuentros: Ya sea que hacen una invitación a los vecinos para un té, una cena o un cumpleaños, o que salen al campo para pasar un día al aire libre.

En todos los casos debe tenerse en cuenta que los no creyentes se sienten separados del grupo si nosotros no les permitimos de manera abierta la participación.

Podemos invitarlos para un cumpleaños, por ejemplo, pero si cada uno busca a su amigo para conversar y los invitados quedan solos, sentados y olvidados en un rincón, sin participar con los demás, no se los invita. Pero si el propósito es de hacerle conocer el evangelio en algún momento, por lo menos debemos interesarnos por su persona, conversando, entendiéndolo, haciendo primero un puente de comunicación. Después vendrá la posibilidad de presentarle a Cristo, de invitarlo a una reunión de célula o de abordar algunos temas relacionados con Dios si es muy reacia la persona.

No debe olvidar anotarlos en el cuaderno de oración del anfitrión.

Capítulo XIII

ANFITRIONES PERMANENTES

Damos a llamar ANFITRIONES PERMANENTES a las personas que han ofrecido su casa como lugar de reunión de célula de manera permanente. Es sabido que una célula que ya se ha dividido unas cuantas veces tiene un ritmo de trabajo estable y creciente, entonces se necesitan las casas con ANFITRIONES PERMANENTES para que eso no decaiga.

Los ANFITRIONES PERMANENTES deben ser los primeros interesados en que su casa sea un lugar de reuniones de célula, que crezca con rapidez y se dividan reproduciendo muchas células más.

Hay que estar atentos porque a veces los ANFITRIONES lo sienten profundamente cuando llega el momento de la división de la célula. Los sentimientos no deben jugar ningún papel en tales casos, por ese motivo ellos necesitan ayuda. Hay que hablarles.

Los ANFITRIONES deben ser personas lo suficientemente atentas, sobre todo con las personas que llegan por primeras veces a su casa. Ellas deben sentirse cómodas. No debe darles demasiada o abundante atención, porque eso también causa incomodidad, ni tampoco debe saludarlas y olvidarlas por el resto del tiempo. Hay un equilibrio para esto y debe encontrarlo.

Estas personas también se encargan de preparar el

refrigerio, si lo hubiera. Pero esto NO ES LO MÁS IMPORTANTE DE LA REUNIÓN DE CÉLULA. No debe hacerse el refrigerio como si fuera un banquete. El refrigerio puede constar simplemente de mate, té, café, jugos, galletas, frutas o cosas que sean muy prácticas; sólo se necesita pasar un tiempo de oración, alabanza, adoración y lectura bíblica junto con la ministración posterior. Las casas donde se realizan las reuniones de células no son lugares de banquetes. Las reuniones de células pueden funcionar perfectamente sin refrigerios, entonces si los hay, no debe entorpecer en absoluto al desarrollo de las mismas.

SE ACONSEJA NO ELABORAR COMIDAS. Esto termina ocupando el tiempo a las personas de la casa y cuando se hace por varias veces origina cansancio, además de un gasto innecesario. Si alguna vez se queda de acuerdo en hacer una comida, de antemano todos deben colaborar tanto en la preparación como con los ingredientes. Pero EL ANFITRIÓN es el que organiza estas cosas.

El anfitrión debe hacer lo siguiente:

1. Debe orar intensamente por cada uno de los miembros que componen la célula. Es el encargado de llevar el cuaderno de oración. Debe orar por los colaboradores, líderes, supervisores, pastores y miembros nuevos.
2. Debe proveer un lugar donde puedan reunirse al rededor de una mesa desde 3 hasta 20 adultos.
3. Debe disponer de otro lugar para los niños. Un cuarto o un patio.
4. La casa debe estar limpia a tiempo.
5. Debe invitar a la gente que conoce, preferiblemente a sus vecinos.
6. Debe estar en plena comunión con la iglesia a la que asiste y su pastor; si no está involucrado con el sistema de células, debe saber perfectamente

qué es lo que van a hacer en su casa. Puede facilitársele este libro para que lo lea.
7. Debe proveer el refrigerio o asegurarse que alguien esté encargado de ello.
8. Debe saludar y atender amablemente a las personas que llegan para la reunión.
9. Debe estar de acuerdo con el líder anticipadamente para toda actividad que tenga prevista.
10. Debe iniciar la reunión con breves palabras y después dejar al líder para que haga su trabajo.

El colaborador

El COLABORADOR es el principal discípulo del líder. Por eso es quien presta la mayor ayuda al líder. Es la persona que se está preparando para ser el líder cuando la célula se reproduzca o divida. Su lugar principal es A LA PAR DE LÍDER.

El colaborador debe hacer esto:

1. Debe ayudar al líder a visitar y discipular a las personas del grupo.
2. Debe invitar y traer gente nueva y animar a todos a hacer lo mismo.
3. Es quién más va a la casa de los inconversos.
4. Debe asistir a la reunión con claras intenciones de ser ayuda idónea para el líder.
5. Debe estar comprometido con la iglesia a la que pertenece.
6. Debe llenar las hojas y formularios de rutina de las reuniones de célula.
7. Debe prepararse asistiendo al Seminario de Capacitación para líderes a finmde dirigir la nueva célula.

8. Debe ser responsable hacia su líder, rendirle cuentas y coordinar con él todas las actividades.
9. Debe ayudar a buscar y preparar a los líderes potenciales.
10. Empieza a dirigir y compartir cuando la célula esté próxima a dividirse.

El líder de célula

Reporta a: Supervisor

Mucho he escrito sobre el líder de célula, prácticamente es el noventa por ciento de este libro, pero creo que hay muchas cosas más que aprenderé mientras pase el tiempo y la práctica sea intensa.

Me interesa muchísimo que las hermanas y jóvenes ocupen este puesto de trabajo en el evangelismo casa por casa. Tengo la sensación que a ellos se les ha relegado al último plano de la iglesia y que todavía no se ha descubierto, por lo menos en Argentina, lo que las hermanas mujeres y los jóvenes, varones y mujeres, pueden hacer en la prédica del evangelio del reino de Dios.

Tenemos que salir del machismo absurdo, porque, si no, estamos fuera de la Palabra de Dios. Relea el capítulo de LA MUJER LÍDER.

Sería imposible encolumnar aquí todo lo que digo en este libro pero estas son las prioridades que debe atender un líder.

El líder de célula debe hacer esto:

1. Debe ser reconocido en su iglesia, barrio y familia como un verdadero hijo de Dios.
2. Debe estar en constante discipulado y ministración por parte del supervisor.

3. Deberá atender a todos los requerimientos de la iglesia a través de su supervisor.
4. Debe prepararse para dividir la célula cuando llegue el momento.
5. Debe pertenecer a una iglesia que lo reciba como LÍDER, siendo ministrado y atendido por su pastor. ESTO ES EXCLUYENTE.
6. Si es joven soltero DEBE ser ejemplo.
7. Si es hermana mujer casada DEBE estar sujeta a su marido.
8. Debe comunicar toda anomalía a su supervisor.
9. Debe buscar y preparar a los posibles líderes.
10. No puede dejar de discipular de cerca a su colaborador.

El supervisor

Reporta a: Pastor de su iglesia

El SUPERVISOR es la persona que tiene a cargo hasta cuatro células a través de sus líderes, a quienes alienta, ayuda y discipula. Es el nexo perfecto entre las células y el pastor de su iglesia.

Solamente podrán llegar al cargo de SUPERVISOR aquellos líderes que hayan dividido por lo menos cinco veces una misma célula.

El supervisor debe hacer esto:

1. La oración del SUPERVISOR debe estar centrada en sus líderes, supervisores futuros, metas de conquista de barrios o zonas enteras de la ciudad, ampliación de la red de células.
2. Debe fluir unido en el equipo de liderazgo de su iglesia, comprometido a ayudar a su pastor de forma constante y fehaciente.

3. Debe ser responsable hacia el pastor, dando cuentas, revisando agendas y aumentando la relación de amor y cuidado. Debe ser responsable directamente de los líderes bajo su cargo (cuatro máximo), y de colaboradores y anfitriones en forma indirecta.
4. Debe discipular a líderes y colaboradores, reuniéndose con ellos en forma regular durante la semana y compartiendo comidas o salidas con ellos.
5. Debe asegurarse de que los líderes estén trabajando según el sistema de células:
   a) Asistiendo y participando en reuniones de Planificación con los líderes.
   b) Motivándolos e inspirándolos a alcanzar sus metas.
   c) Organizar y ayudar a dividir las células a cada uno de sus líderes. Levantar colaboradores y anfitriones.
   d) Comprobar que haya seguimiento a los nuevos convertidos y visitas a los recién alcanzados con el evangelio.
6. Apoyar a los líderes con visitas en sus reuniones de células, aconsejando por separado al líder en casos difíciles.
7. Debe organizar convivencias y salidas al campo por lo menos cada tres meses con todos o cada uno de los líderes y las células que supervisa.
8. Debe coordinar los bautismos con su pastor cada vez que sea necesario.
9. Debe asegurarse que los líderes entregan sus reportes y ofrendas en tiempo y forma, antes de dar comienzo a la reunión del domingo siguiente.
10. Debe organizar, junto con los otros supervisores de su iglesia, si los hubiera, LAS CONVENCIONES MENSUALES DE LÍDERES DE CÉLULAS.

El pastor

Resulta difícil escribir qué es lo que debe hacer el pastor de una iglesia. Sin embargo, para el caso de la vida de iglesia casa por casa, debe tener en cuenta algunas cosas elementales sin las cuales no podrá llevar adelante una iglesia que crece a pasos agigantados en cantidad y calidad.

Una iglesia que tiene una progresión de crecimiento geométrico trae algunos trastornos si la visión del pastor está detenida en un punto determinado. Tengo la impresión de ver al pastor de una iglesia con estas características, que es quien está parado en la punta del mástil de una embarcación, con los binoculares puestos, tratando de hacerla llegar a puerto seguro.

El pastor debe hacer esto:

1. Debe orar específicamente y ministrar de manera personal a los supervisores y en la medida de lo posible a los líderes de su iglesia.
2. Debe animarlos en las reuniones de alabanza y adoración en el templo de la iglesia.
3. Debe ser responsable directamente de cinco supervisores *como máximo*. Para mayor cantidad se necesita otro pastor.
4. Debe discipular a los supervisores con visitas periódicas, si es posible compartiendo y comiendo con ellos de vez en cuando. Levantar más supervisores y pastores cuando se sigan dividiendo los grupos.
5. Debe visitar con los supervisores las reuniones de células y ayudar con decisiones en casos difíciles.
6. Debe asegurarse y vigilar que los supervisores estén cumpliendo con sus responsabilidades según el sistema de reuniones de células.

7. Debe dirigir las reuniones de supervisores:
   a) Compartiendo el mensaje.
   b) Dando visión, motivación, anuncios, etc.
   c) Delegando participación a otros.
8. Debe ser responsable de los bautismos que haya por mes.
9. Es el principal responsable de que su iglesia tenga en actividad los cinco Ministerios bíblicos (Apóstoles, Profetas, Evangelistas, Pastores y Maestros); haciendo posible así la edificación y perfección del Cuerpo de Cristo.
10. Debe animar a cada líder a participar en la CONVENCIÓN MENSUAL PARA LÍDERES DE CÉLULAS.

La agenda: Una herramienta válida

Como buenos soldados necesitamos una disciplina que asegure nuestra victoria. Hay algunos que no ven mucho fruto en lo que trabajan porque en sus grupos de célula no tienen tiempo para orar, tiempo para prepararse o tiempo para visitar a las personas que necesitan. Todos tenemos 24 horas diarias, todos tenemos ocupaciones, entonces preguntamos: ¿Por qué unos tienen éxito y otros no? Todo radica en la capacidad de organización que tenga la persona,

Cuando una persona tiene su vida en orden y su agenda llena, casi siempre puede añadir otra responsabilidad y la cumple bien. Los desordenados y los desorganizados no hacen mucho, pero tampoco tienen tiempo para hacer ni una cosa más.

La agenda nos ayuda a no malgastar el tiempo. En vez de pasar tres horas frente al televisor, si tenemos agendada la tarde no tardaremos en darnos cuenta de que hay que ir a ver y hacer visitas a los integrantes de la célula. Sabremos sus domicilios, teléfonos, ocupaciones, horarios y otras tantas cosas más para lo cual se usa LA AGENDA.

Recuerda esto: Nosotros debemos usar la agenda, no la agenda a nosotros. Tampoco podemos responsabilizarnos de tantas cosas como para dejar de cumplir tareas de padre, madre y ocupaciones laborales. Lo mejor es anotar todo, compromisos de trabajo, familia, y lo referente a las reuniones de células. Aparta tiempo para todo.

Acostumbra llevar contigo LA AGENDA. No sirve de mucho si la dejas en casa cuando la necesitas en tu trabajo para hacer una llamada telefónica, por ejemplo.

Quiero animarte a que compruebes la importancia de ordenar tus pasos. En 1 Corintios 9:24-27 Pablo nos dice la importancia de obtener premio en la carrera cristiana. Esto requiere, como atleta, orden y disciplina.

Los formularios que tiene usted en las páginas números 227 a 233, al final del libro, son los documentos que normalmente tendrá en funcionamiento la iglesia que adopte el trabajo de células.

Sin ellos, no se puede tener una manera eficiente de control ni de supervisión y apoyo.

Son *indispensables* para el sano desarrollo de la iglesia.

Capítulo XIV

MINISTERIO DE LA IGLESIA

«El que descendió, es el mismo que también subió por encima de todos los cielos para llenarlo todo. Y él mismo constituyó a unos, apóstoles; a otros, profetas; a otros, evangelistas; a otros, pastores y maestros, a fin de perfeccionar a los santos para la OBRA DE MINISTERIO, para la edificacion del cuerpo de Cristo, hasta que todos lleguemos a la unidad de la fe y del conocimiento del Hijo de Dios, a un varón perfecto, a la medida de la estatura de la plenitud de Cristo»

(Efesios 4:10-13)

No podemos hablar de la función de MINISTERIO de la iglesia sin referirnos anteriormente a la epístola escrita por el apóstol Pablo a los hermanos de Éfeso.

La iglesia como Cuerpo de Cristo debe desarrollar un servicio en su propio crecimiento y para eso tiene un trabajo que hacer, que aquí denomino MINISTERIO MAYOR, para diferenciarlo de los otros ministerios (servicios). que lo componen; y esto es algo que la iglesia hace de forma total-integral ya que es obra para perfeccionar a los santos. Efesios 4:12

Si tomamos el capítulo 4 completo como un contexto, no podemos hablar de la Unidad del Espíritu por separado de los ministerios o de la vida de Cristo en cada creyente. Todo conforma un total, una unidad perfecta, un marcado propósito en el pensamiento de Dios acerca de la Iglesia como cuerpo de Cristo, es decir, sus santos.

No quiero escribir nada nuevo respecto de la iglesia, pero sí quiero hacer notar algunas cosas muy interesantes que se nos pasan por alto mientras trabajamos en cada detalle de nuestra congregacion o ministerio.

La Iglesia de Cristo está diseñada como un cuerpo y debe responder a estos requerimientos por el mismo Señor.

1. Perfección de los santos. Efesios 4:12.
2. Edificación, que implica:
    a) Unidad de la fe
    b) Conocimiento del Hijo de Dios
    c) Estatura y plenitud de Cristo.

Efesios 4:12-13

DESARROLLO:

1. *Perfección*

Tomemos este tema para mirar muy brevemente lo que implica en cada uno de los creyentes en Cristo, aunque sobre este tema no se predique ni enseñe con frecuencia.

Los porcentajes de veces que se aborda la perfección como miembros del cuerpo de Cristo es muy inferior a los temas actuales de predicación; como la prosperidad, la unción, el poder, etc. Sin embargo, por eso no deja de ser importante y es más, se necesita perfección acabada como cuerpo de Cristo si no queremos estar en problemas serios.

Nuestro modelo es Cristo. Por eso vamos a tenerlo como referencia en toda esta exposición.

JESÚS: Fue hombre humano (Lucas 2:39-40, 41-42).
Fue perfectible (Hebreos 2:9-10).
Llegó a la perfección (Hebreos 5:8-10; 7:28).
(Si no entendemos y aceptamos esto en su esencia podemos caer en el espíritu del anticristo).

NOSOTROS: Somos humanos (No hace falta explicación alguna).
Somos perfectibles (Hebreos 6:1; 9:9; Mateo 5:44-48; Juan 17:23; Colosenses 4:12).
Debemos llegar a la perfección (2 Corintios 13:9; Colosenses 1:28; 2 Timoteo 3:16-17; Santiago 1:4; 3:2).
(Si no entendemos y aplicamos a nuestra vida la perfección en esta medida no nos sirve de nada el evangelio).

La obra del MINISTERIO MAYOR que tiene a cargo la iglesia no puede ser llevada a cabo por santos imperfectos. Efesios 4:12

Aquí viene la pregunta crucial: ¿Quién va a llevar a cabo LA PERFECCIÓN dentro del mismo cuerpo de Cristo? La respuesta está en Efesios 4:11: «*El mismo Cristo que ascendió a los cielos constituyó a unos, apóstoles; a otros, profetas; a otros, evangelistas; a otros, pastores y maestros...*»

Quiero dejarle un interrogante: ¿Cómo vamos a llegar a la PERFECCIÓN como cuerpo de Cristo si no tenemos en práctica cada uno de estos trabajos constituidos por Cristo en todo su alcance potencial? ¿Acaso uno de ellos basta para realizar todo el propósito de Dios?

2. *Edificación*

Sólo para resumirlo, porque se trata de contextos bíblicos extensos, encolumno por ítems estos conceptos de manera práctica. Se necesita mucho espacio para desarrollar cada uno de ellos en forma particular. Veamos el primero.

a) Unidad de la fe: Juan 17:23; Romanos 1:11-12; Hechos 16:4-5; 2 Corintios 4:13-14; Efesios 4:5; Filipenses 1:27-28; Judas 3.

b) Conocimiento del Hijo de Dios: Contextos: 2 Corintios 3 completo y 4:1-6; Efesios 1:15-23; 3:14-21; 4:13; Colosenses 1:9-14; 3:9-11.

c) Plenitud de Cristo: Efesios 1:20-23; Colosenses 2:8-10; 1:15-20.

Así es la iglesia de Cristo; ES UN ORGANISMO VIVIENTE y me preocupa el hecho de que en estos tiempos solamente la veamos en un contexto social. Los programas y actividades de la iglesia actual tienen mucho de parecido a un club. Cuando se ha terminado una etapa se continúa con otra planificando tener siempre actividades que ocupen a sus miembros. Pero aun así, la falta de «empleo» en campos espirituales dentro del cuerpo de Cristo, el ocio, la indiferencia y el desinterés alcanza a buena parte de nuestras congregaciones. Hasta los pastores suelen estar contentos cuando los miembros de su iglesia asisten a los cultos y se retiran sin más.

Los primeros cristianos seguramente sabían algo más acerca de la iglesia como cuerpo de Cristo que nosotros hoy, y por ese motivo marcamos claras diferencias con ellos. Tenemos el mismo Dios que ellos, pero parece que nosotros no estamos en las mismas condiciones como iglesia. SE NECESITA LA LUZ DEL ESPÍRITU SANTO PARA VER EN LA PALABRA DE DIOS RESPECTO DEL MINISTERIO MAYOR DE LA IGLESIA, PARA ACCEDER AL OBRAR DE LA PLENITUD Y EL PODER DE CRISTO EN EL CONJUNTO DE SU CUERPO.

Las individualidades personales en cuanto a ministerios en este contexto que acabamos de ver sólo sirven si están en relación unos con otros. Entonces conforman un todo que se mueve y obra como ORGANISMO que se llama IGLESIA, CUERPO DE CRISTO.

¿Puede usted pensar que los dones que reparte el Espíritu Santo (1 Corintios 12) y los ministerios que constituye el mismo Cristo (Efesios 4:11) pueden estar sueltos y descoordinados de todo el ORGANISMO que se llama IGLESIA?

¿Puede usted pensar que un solo don o ministerio, por lo abultado de su actividad y desarrollo con relación a los otros puede cubrir el PERFECCIONAMIENTO DE LOS SANTOS Y LA EDIFICACIÓN DEL MISMO CUERPO DE CRISTO?

- ¿Cuántos dones se necesitan en acción?
- ¿Cuántos ministerios se necesitan en acción?
- ¿Cuántos tiene de ellos ahora su iglesia?

(Esta es la respuesta a nuestra situación actual como iglesia)

–¿Es usted ministrado de manera constante por maestros?

–¿Es usted ministrado de manera constamte por pastores?

–¿Es usted ministrado de manera constante por evangelistas?

–¿Es usted ministrado de manera constante por profetas?

–¿Es usted ministrado de manera constante por apóstoles?

ESTOS SON LOS MINISTERIOS QUE EL MISMO CRISTO CONSTITUYE DENTRO DE SU CUERPO PARA QUE HAGAN LLEGAR LA PERFECCIÓN Y LA EDIFICACIÓN A LA IGLESIA.

Cristo gobierna su Iglesia

Él es su esposo: Lucas 5:34-35; Juan 3:28-30; 2 Corintios 11:2.

Él es su cabeza: Efesios 1:22-23; 4:15-16; 5:23; Colosenses 1:17-18; 2:10, 19.

Las órdenes que recibe la iglesia no debieran ser de miembros a miembros, de ministerios a ministerios, sino de CRISTO mismo para su IGLESIA, SU CUERPO.

Cristo es quien gobierna el accionar de la iglesia, y esto puede reconocerse cuando en una perfecta coordinación, en total armonía y en completa integración, se mueven cada uno de sus miembros poniendo en acción todos los dones y ministerios (luego tomo un ejemplo del libro de Hechos de los Apóstoles para ilustrar este concepto).

La iglesia es un cuerpo

El Cuerpo de Cristo está constituido así: Romanos 12:4-5; 1 Corintios 6:15,19-20; 10:16-17; 12:12-27; 2 Corintios 4:10-14; Efesios 5:29-30; Filipenses 1:20; 3:21; Colosenses 1:21-22.

La iglesia debe tener la misma vida de Cristo porque ella es su Cuerpo, siendo cada uno de nosotros miembros de su carne y sus huesos, porque cada uno de nuestros miembros forman parte del cuerpo de Cristo. ¿Vislumbra el alcance de esta afirmación bíblica? ¿Tiene presente ahora que no somos un grupo de personas que se juntan para pasarlouna célula bien cada día de congregación? ¿Se da cuenta de que no podemos ir al templo a «cargar las pilas» para vivir siete días más? ¿Ve con claridad que la actividad de PERFECCIÓN Y EDIFICACIÓN no es otra cosa que la vida normal del cuerpo de Cristo?

¿Se da cuenta de que la individualidad está en función de un todo? ¿Queda claro que en el panorama de la iglesia no hay supremacías y pedestales para ningún miembro, don o ministerio que se desarrolla dentro del cuerpo? ¿Puede la mano, por estar encima del pie decir que éste no es importante? ¿Puede decir el ojo que es mayor por estar más alto que la mano? ¿Puede el oído decir que no necesita del pie?

¿Por qué la estructura de la iglesia actual es de mayor a menor?

¿Por qué tenemos la vida de la iglesia estructurada piramidalmente?

¿Quién nos hizo creer que eso es lo correcto para el cuerpo de Cristo?

¿Se anima a ver conmigo esta realidad a fondo?

El gráfico que muestro es sólo a manera ilustrativa porque no se puede «ordenar» en qué lugares van cada uno de los dones y ministerios definitivamente pues son usados a voluntad del Señor indistintamente y no podemos atar ni encasillar ninguna de estas actividades a una estructura. SIMPLEMENTE ASÍ ES EL CUERPO DE CRISTO EN SU FUNCIONALIDAD.

Pedro encarga en su primera epístola: «*Cada uno, según el don que ha recibido, minístrelo a los otros, como buenos administradores de la multiforme gracia de Dios. Si alguno habla, hable conforme a las palabras de Dios; si alguno ministra, ministre conforme al poder que Dios da, para que en todo sea Dios glorificado por Jesucristo, a quien pertenecen la gloria y el imperio por los siglos de los siglos. Amen*» (1 Pedro 4:10-11). ¡Y Esto tampoco es piramidal!

Cristo sigue siendo el único puesto de relieve en este organismo. PUES ÉL ES LA CABEZA. Los demás debemos servir, ministrar y complementar cada uno de los movimientos y/o requerimientos internos del mismo cuerpo, siempre ordenado específicamente por la cabeza, para que la funcionalidad sea total-integral. ASÍ ES EL DESARROLLO DEL *MINISTERIO MAYOR DE LA IGLESIA*

Ninguna función del Cuerpo puede suprimir a otra, ni superponerse; menos chocar en inconveniencias para ambas.

¿Podemos ver un ejemplo bíblico de estos movimientos del cuerpo de Cristo?

Vamos al libro de los Hechos de los Apóstoles y miremos cómo se desarrollaban los movimientos de la iglesia primitiva.

Las características de cada uno de los que tenían lugar reconocido dentro de la iglesia eran necesariamente hombres y mujeres llenos del Espíritu Santo. Felipe era uno de esos hombres a quien el Espíritu de Dios había llenado; por eso pudo integrar el grupo de los diáconos quienes servían las mesas y estaban encargados de la distribución diaria a las viudas que eran atendidas por la iglesia (Hechos 6:1-2).

Una vez que Esteban fue muerto en la vía pública, Saulo además de consentir en su muerte incrementaba la persecución a la iglesia de Jerusalén (Hechos 8:1-3). Entonces al ser esparcidos los cristianos, Felipe predicaba la Palabra de Dios con notables prodigios, milagros y maravillas entre los samaritanos al punto de remover a toda la población. Felipe hacía el servicio o ministerio de *evangelista.* Cuando los apóstoles se enteraron en Jerusalén mandaron a Pedro y Juan para que ejerciesen entre los recién convertidos y bautizados el ministerio *apostólico.* Felipe fue visitado por un ángel del Señor que le indicó el trabajo a seguir en el camino a Gaza donde encontró al eunuco funcionario de la reina Candace

(Hechos 8:4-40). Luego, en este mismo orden de cosas unos eran ordenados y dirigidos por el mismo Señor y otros complementaban el propósito de Dios de una manera sincronizada y perfecta. ¿Quién dirigía de manera total la iglesia de los primeros cristianos? La respuesta que cabe es CRISTO. LA CABEZA DE LA IGLESIA. Solamente Él podía ver y ordenar qué paso debía seguir el contexto de la iglesia de Jerusalén.

• ¿De quién salían las directivas para cada uno de los ministerios y trabajos?
• ¿Ve alguna superposición de actividades o inconvenientes entre ellas?
• ¿Había intereses particulares por desarrollar los ministerios de esta manera?
• ¿Qué propósito perseguían al vivir y trabajar así los primeros cristianos?

Usted sabe todas estas respuestas. Respóndase ahora: ¿Por qué no seguimos viviendo en una iglesia de este calibre, con este poder y con el mismo alcance para el mundo de hoy? Después de considerar su misma respuesta, piense que uno de los principales motivos actuales es que tenemos IMPORTADAS LAS ESTRUCTURAS PIRAMIDALES DEL MUNDO AL REINO DE DIOS.

Lo más notable es que al recibir mayor persecución, muerte y esparcimiento, la iglesia de Jerusalén parecía crecer desmedidamente en poder y autoridad espiritual. ¿Se da cuenta que seguidamente a los acontecimientos tristes del capítulo 8 por el hostigamiento que recibían, el capítulo 9 empieza con la descripción de la conversión de Saulo, el hombre que sólo tenía en sus venas asechanza y muerte para los cristianos?

Qué extraño parece esto a un orden natural y normal de sucesos. Cualquier sociólogo de la época hubiera podido predecir con mucha certeza, y no sería profecía, la extinción de las enseñanzas de estos hombres y mujeres esparcidos por todos lados; llevando en sus corazones la tristeza de la muerte de uno de sus hombres reconocidos como Esteban, aparte de ser su muerte un hecho totalmente criminal llevado a cabo en la vía pública. ¿A quiénes podrían convencer con tantas cosas en contra? Sin embargo, LA IGLESIA, EL CUERPO DE CRISTO, estaba tomando lugares en los espacios celestiales a través del poder delegado de Cristo y eso se plasmaba en la realidad cuando el hombre fuerte, Saulo, quien tenía cartas para seguir cometiendo todo tipo de atropellos y crímenes contra nuestros primeros hermanos, fuera derribado ciego de su cabalgadura por el mismo resplandor de la presencia de Cristo y su directa pregunta: ¿Por qué me persigues? Hasta la pregunta denota la relación de la CABEZA, Cristo, y SU CUERPO, la Iglesia.

¿Puede ver el poder que ejercía la iglesia en todo esto? A pesar de que esta iglesia primitiva no tenía grupos organizados de intercesores a tiempo completo, no había hermanos especializados en cartografía y guerra espiritual, sino la Palabra de Dios, lo hubiera dicho perfectamente y con naturalidad. Nada de eso. ¿Qué había entonces? LA MISMA VIDA Y TODO EL PODER DE CRISTO, LA CABEZA DEL CUERPO, CORRÍA SIN OBSTÁCULOS POR LA IGLESIA. No hacía falta construir grandes y cómodos templos para que todos pudieran recibir los anuncios de oración de la próxima semana. No se podía vivir el evangelio de los domingos y programas de actividades. Solamente la vida pura en el Espíritu Santo hizo posible la vida de los primeros 40 años de la Iglesia de los Hechos de los Apóstoles.

Sigo creyendo que nadie que se precie cristiano puede dejar de ser intercesor; entonces ¿a qué se debe esta especialización actualmente? Más parece un signo de debilidad de la iglesia actual que de PODER, PERFECCIÓN Y EDIFICACIÓN de los santos de hoy.

No estoy diciendo con esto que lo que se hace hoy está mal y que no me agrade el hecho que haya hermanos, que son respetables, los cuales conocen a fondo la intercesión por la práctica y la vivencia cotidiana. Todo eso está muy bien. ¿Pero qué de la Iglesia primitiva?

Cuando los Hechos de los Apóstoles cuentan del encarcelamiento de Pedro, después de un hecho público y vergonzante como fue matar a espada a Jacobo, hermano de Juan. Viendo que era del agrado de los judíos estas cosas, Herodes no dudó un instante en prender a Pedro para encarcelarlo y matarlo luego de la pascua. ¿Sabe lo que dice la Biblia de los hermanos de la iglesia? «*Así que Pedro estaba custodiado en la cárcel;* PERO LA IGLESIA *HACÍA SIN CESAR ORACIÓN A DIOS POR ÉL*» (Hechos 12:1-5). Este es el manejo de la oración de la iglesia que recién comenzaba. Por supuesto, una vez más para sorpresa del mundo, Pedro al otro día estaba en libertad, dada por un ángel enviado especialmente para eso, y los dieciséis guardias que cuidaban a este solo hombre eran asesinados en cuenta de Pedro allí mismo. Así dice Hechos 12:18-19

Si quiere asombrarse aún más siga leyendo el relato que acabamos de citar y se dará cuenta cómo terminó el mismo Herodes. ¿No pedían palabra de Dios? ¿Quién inculcaba estas cosas a los habitantes de Jerusalén? ¿Calcula dónde puede llegar la iglesia con la oración?

¿Eso será lo que Pablo escribía a los hermanos de Éfeso en el capítulo 1 acerca de que la Iglesia está puesta por cabeza de todas las cosas, con mucho pesar para los gobernadores y poderes de las tinieblas? ¿Cuánto de esto nos falta hoy? Parece que los primeros cristianos no sólo sabían estas cosas muy bien, sino que las vivían en la práctica cotidiana. ¡Qué terrible habrá sido ver a Herodes herido por el ángel del Señor!

¡Cuánto daría por vivir esta realidad bíblica! ¿Qué dice usted? ¿Será posible esto ahora mismo?

NO SE PUEDE DESCONOCER EL PODER DE LA ORACIÓN EN LAS MANOS DE LA IGLESIA, PERO DIGO DE LA *IGLESIA*, NO DE UNOS CUANTOS ESPECIALIZADOS EN LA MATERIA. Pero en la actualidad tenemos hermanos y hermanas especializados en esto, que estimo, debieran sumarse más cristianos para que sea la *IGLESIA* quien rompa las fortalezas de maldad, tal como es el caso de nuestros primeros hermanos.

Definiciones

Apóstol. Tomado de la Biblia de estudio Pentecostal en la página 1690 en donde se explican los dones de ministerio de la iglesia, dice de los apóstoles lo siguiente: Se empleó el término «apóstol» en el NT en sentido general para un representante designado de una iglesia, tales como los primeros misioneros cristianos. Por lo tanto, en el NT «apóstol» se refería a cualquier mensajero designado y enviado como misionero o para alguna otra responsabilidad especial. Eran hombres que manifestaban liderazgo espiritual extraordinario, eran ungidos con poder para enfrentarse directamente a los poderes de la oscuridad y para confirmar el evangelio con milagros, y estaban dedicados a establecer iglesias conforme a la verdad y la pureza apostólica. Esos siervos viajeros arriesgaban la vida por el nombre del Señor Jesucristo y el avance del evangelio (Hechos 11:21-28; 13:50; 14;19-22; 15:25-28). Eran hombres de fe y de oración, llenos del Espíritu (Hechos 11:23-25; 13:2-5,46-52; 14:1-7, 14, 21-23).

Una tarea preponderante de los apóstoles era establecer iglesias y asegurarse de que se fundaran o se restauraran con la sincera devoción a Cristo y la fe en Dios. Esa tarea comprendía dos obligaciones principales: a) el urgente deseo dado por Dios de mantener la pureza de la iglesia y su separación del pecado y el mundo (1 Corintios 5:1-5; 2 Corintios 6:14-18; Santiago 2:14-26; 1 Pedro 2:11; 4:1-5; 1 Juan 2:1,15-17; 3:3-10) y b) una obligación de proclamar el evangelio y defenderlo de herejías, nuevas tendencias teológicas y falsos maestros (Romanos 16:17; 1 Corintios 11:2; 2 Corintios 11:3, 4).

Profeta. También la Biblia de estudio Pentecostal trae unas explicaciones que parecen interesantes, por eso quiero compartirlas con usted.

Dice así en la página 1691. Los profetas funcionaban dentro de la iglesia de la siguiente manera:

a) Eran pregoneros e intérpretes de la Palabra de Dios, llenos del Espíritu, llamados por Dios para exhortar, animar, edificar y consolar (Hechos 2:14-36; 3:12-26; 1 Corintios 12:10; 14:3).

b) Debían ejercer el don de profecía.

c) Como los profetas del AT, los del NT tenían la misión de poner al descubierto el pecado, proclamar la justicia, advertir del juicio venidero y combatir la carnalidad y la tibieza entre el pueblo de Dios (Lucas 1:14-17). Debido a su mensaje de justicia, los profetas y su ministerio pueden esperar el rechazo de muchas personas de la iglesia durante los tiempos de tibieza y apostasía.

El carácter, la obligación, el deseo y la capacidad del profeta comprenden:

a) El celo por la pureza de la iglesia (Juan 17:15-17; 1 Corintios 6:9-11; Gálatas 5:22-25).

b) La profunda sensibilidad ante el mal, y la capacidad para identificar, definir y aborrecer la injusticia (Romanos 12:9; Hebreos 1:9).

c) La inminente dependencia de la Palabra de Dios

para confirmar el mensaje del profeta (Lucas 4:17-19; 1 Corintios 15:3-4; 2 Timoteo 3:16; 1 Pedro 4:11).

d) La aguda comprensión del peligro de las falsas enseñanzas (Mateo 7:15; 24:11,24; Gálatas 1:9; 2 Corintios 11:12-15).

e) El interés por el éxito espiritual del reino de Dios y la participación de la voluntad de Dios (Mateo 21:11-13; 23:37; Lucas13:34; Juan 2:14-17; Hechos 20:27-31).

Toda profecía debe ser juzgada, es decir, no debe considerárselas infalibles. Sus mensajes se sujetan a la evaluación de la iglesia, a los otros ministerios y a la Palabra de Dios. Se requiere que la congregación discierna y pruebe si lo que contienen es de Dios (1 Corintios 14:29-33; 1 Juan 4:1). Pero si no se les permite a los profetas que den su mensaje de exhortación y amonestación, inspirados por el Espíritu Santo, que pongan al descubierto el pecado y la injusticia, entonces la iglesia se convertirá en un lugar donde ya no pueda escucharse la voz del Espíritu. La política eclesiástica y el poder mundanal reemplazarán al Espíritu (2 Timoteo 3:1-9; 2:3-5; 2 Pedro 2:1-3, 12-22). Al contrario, si la iglesia y sus dirigentes oyen la voz de los profetas, se verán estimulados a la vida renovada y a la comunión con Cristo. Abandonarán el pecado y la presencia del Espíritu será evidente entre los fieles (1 Corintios 14:3; 1 Tesalonicenses 5:19-21).

Da la impresión de que es mucho más importante el ministerio profético de lo que nosotros suponemos o imaginamos. El alcance directo a la vida de la iglesia y a quienes la dirigen es irremplazable porque tocan el corazón mismo con la palabra convenientemente anticipada de Dios sobre personas, hechos y cosas futuras que pueden ser de bendiciones o pueden hacer daño.

Conocí una iglesia donde la profecía estaba a la orden del día. En ella abundaba la palabra profética y personalmente he tenido la satisfacción de ser ministrado, luego, ver el cumplimiento exacto de lo que Dios quería hacer con la vida de mi familia y ministerio. Nada escapó, ni los detalles, a la palabra venida de Dios a través del profeta. Cada vez que me toca pasar una circunstancia en la que recuerdo aquella ministración profética me lleno de gozo porque no puedo hacer otra cosa que darle gloria a Dios por ser tan increíblemente bueno con nosotros. Por eso, creo más firmemente todavía, la profecía debe cumplir su rol importante en la vida de la iglesia, si no queremos verla enferma, minada por el pecado, invadida por la política eclesiástica y el poder mundanal.

Evangelista. Como lo enseña Benny Hinn, autor de *Buenos días Espíritu Santo*, en un vídeo sobre el Tabernáculo; dice que los ministerios tienen un símil con la mano humana. El dedo que ocupa el centro, el dedo mayor es el más largo de todos y es a su vez el que usamos más frecuentemente cuanto tenemos que alcanzar las cosas. La comparación es que los evangelistas al estar en el centro de los ministerios que constituye el mismo Cristo cumplen el servicio de alcanzar a más personas para el reino de Dios. Ninguna iglesia del mundo puede echar la culpa a la falta de evangelización porque faltan evangelistas. La Gran Comisión es un mandato para cada creyente del mundo. Sin embargo, Cristo constituye ministros evangelistas dentro de la iglesia para que de forma muy especial alcancen un gran número de almas a través de la prédica a los inconversos. Ellos suelen tener una carga especial con respecto a los perdidos y su corazón se siente profundamente cuanto ve la oscuridad sobre las almas, es una carga incómoda de llevar. Cada vez que uno se cruza una persona no creyente ya está orando interiormente frente a ella para que le resplandezca la luz del evangelio de Cristo. Normalmente la prédica va seguida de señalcs del poder de Dios (Hechos 8:6-7, 13); también se interesan no sólo por la proclamación, sino por la cosecha de frutos de arrepentimiento a través de la expresión de bautismos en agua de los recién convertidos (Hechos 8:6, 12).

El gran peligro que corren los evangelistas actualmente es que por no ser reconocidos como tales, o por andar siempre rebotando de un lado a otro terminan formando su propia iglesia, entonces tienen que cubrir servicios de otros ministerios, por ejemplo de pastor, y si no han sido constituidos por Cristo para esas tareas crean graves inconvenientes a las almas. Debemos ser cuidadosos y sinceros con nosotros mismos para hacer exactamente lo que la voluntad de Dios quiere y no nuestro deseo.

Pastor. Parece que el Señor Jesús en este siglo XX sólo se encarga de constituir pastores. Ellos abundan por doquier. Constituye algunos evangelistas pero ellos deben trabajar sólo como auxiliares de los pastores, pocos tienen un ministerio reconocido y que se respete como tal. En la Argentina Carlos Annacondia es uno de los privilegiados no sólo por el Señor, sino también del pueblo de Dios pues reconocen en él un hombre con ministerio evangelístico como no lo hicieron antes, por lo menos en Argentina.

Aquí estamos en el tema de los pastores y es necesario reconocer que este ministerio en la iglesia es tan importante como cualquiera de los otros cuatro que nombra Efesios. No se puede guiar la grey del Señor si no hay pastores, así es de sencillo. Pero ellos son los principales responsables si no enseñan a sus congregaciones el reconocimiento y la aceptación de los otros ministerios, porque la desinformación que hay en la hermandad con respecto a este tema hacen surgir actitudes y preconceptos que forman barreras insalvables para cuando llega el momento de vivir como iglesia y ser ministrados por los cinco ministerios que constituye el mismo Cristo; que ya sabemos son específicamente para la PERFECCIÓN Y EDIFICACIÓN.

Leamos esta cita:

«*Apacentad la grey de Dios que está entre vosotros, cuidando de ella, no por fuerza, sino voluntariamente; no por ganancia deshonesta, sino con ánimo pronto; no como teniendo señorío sobre los que están a vuestro cuidado, sino siendo ejemplos de la grey. Y cuando aparezca el Príncipe de los pastores, vosotros recibiréis la corona incorruptible de gloria*» (1 Pedro 5:2-4).

¿Alguna vez ha estado usted sin cobertura pastoral? ¿Ha experimentado lo que ocurre en esa situación? Creo que solamente se puede entender en profundidad este ministerio si alguna vez ha quedado como oveja sin pastor. A mí me ha tocado pasar por esa situación por poco tiempo y es muy desagradable. La cobertura a nivel espiritual que se recibe del ministro pastor posibilita nuestra vida como oveja, de otra forma es como enviar una oveja sola al monte sin su «cuidador» o su guía, no puede atravesar cualquier situación de peligro sin salir dañada. Se necesitan los pastores en la iglesia para PERFECCIÓN Y EDIFICACIÓN del cuerpo de Cristo, como los otros cuatro ministerios de Efesios.

Por otro lado, los pastores deben comprender que son solamente pastores y no hombres orquestas. El gran problema de la pirámide que conforman las estructuras de la mayoría de las iglesias es que exigen

del pastor un hombre con cinco ministerios. Hay algunos pastores que creen que ellos deben tener «un poco de todo» como lo escuché muchas veces. ¿Cuál es el fundamento bíblico para esa afirmación?
Siguiendo con la enseñanza de Benny Hinn, solamente el dedo pulgar que representa el ministerio apostólico, tiene la capacidad dada por Dios de «tocar», no desarrollar, tal como lo hace en la mano, los otros cuatro ministerios como la profecía, el evangelismo, el mismo pastorado y la enseñanza como maestro. El apóstol Pablo puede ser un buen ejemplo de ello. Como apóstol que era fundaba, establecía y afirmaba iglesias, también profetizaba, evangelizaba, pastoreaba y era un indiscutido maestro de la Palabra. Pero ¿todos los pastores que conocemos hoy día están constituidos con ese ministerio? ¿Cuántos conoce que sean constituidos por Cristo de esa manera? Al exigir a los pastores que desarrollen todos los dones ministeriales nos encontramos con los problemas de falta de PERFECCIÓN Y EDIFICACIÓN de la iglesia. El pastor debe cumplir su ministerio, como el evangelista su ministerio, y así sucesivamente cada persona constituida para tal don. Puede darse que un solo ministro tenga dos o más dones de ministerios, pero la afirmación bíblica en Efesios es que OTRO, Y OTRO, Y OTRO, son constituidos por Cristo a fin de posibilitar la perfección de los santos para la obra del MINISTERIO MAYOR, que incluye PERFECCIÓN Y EDIFICACIÓN del cuerpo de Cristo.
Es de destacar el hecho de que la mayoría de los pastores actuales habiendo sido constituidos por el mismo Cristo hayan llevado la iglesia a través del tiempo a pesar de sus avatares. Pero algunas veces da la impresión como que los pastores no están interesados que en sus congregaciones se desarrollen otros ministerios. Esto puede corresponder a dos

razones: 1) A una falta de seguridad sobre su mismo ministerio; porque tienen miedo de que alguien les haga sombra y 2) Se trata de un profundo desconocimiento de la VIDA DE PERFECCIÓN Y EDIFICACIÓN DEL CUERPO DE CRISTO. Muchos observadores cristianos parecen encontrar un común denominador y es que los pastores están sobrepasados en su medida de ministerio justamente por carecer tanto de los otros. Depende mucho del pastor que en su iglesia enseñe y ministre esta Palabra para que Cristo levante ministerios de en medio de la congregación que le sirvan comprometidamente.

Los pastores son quienes cuidan del rebaño específicamente y ese debiera ser solamente su servicio (Juan 10:11-16; 1 Pedro 2:25; 5:2-4). El ministerio de los pastores conforma la cuarta mención en los ministerios de la iglesia. Los pastores estarían representados en la mano por el dedo anular; entonces junto con los maestros, en la representación de los dedos, son quienes cierran la mano para retener lo que se ha alcanzado. La función de cada dedo en la mano es una perfecta representación de cada uno de los ministerios. Benny Hinn dice que los ministerios son la representación de la mano de Dios para moldear, trabajar y formar a una iglesia PERFECTA.

La tarea de los pastores es hacer vivir en la práctica la Palabra de Dios a los fieles (Tito 1:9-11; 1 Tesalonicenses 5:12; 1 Timoteo 3:1-5), ser ejemplo de pureza y fe (Tito 2:7-8; 13:17; 1 Pedro 5:2). Esta tarea se describe en Hechos 20:28-31 como salvaguardas de la verdad apostólica y que vigilan el rebaño de Dios por si surgen falsas doctrinas y falsos maestros dentro de la iglesia. La norma del NT muestra que varios pastores dirigen la vida espiritual de una iglesia local (Hechos 20:28; Filipenses 1:1).

Maestro. Según parece el tabernáculo que construyó Moisés por encargo divino tiene grabado en toda su estructura material el pensamiento y el propósito de Dios de manera singular. No hay nada en su construcción que sea caprichoso o casual. Tal es así que Benny Hinn describe que los cinco pilares que sostienen la entrada principal al lugar santo por donde solamente el pueblo de Dios puede entrar, está diseñado para representar a los cinco ministerios que iban a llevar a cabo la importante misión de «sostener» el mismo pueblo de Dios, su cuerpo, su misma Iglesia. Ninguno de los cinco pilares tiene mayor o menor preponderancia que los otros, todos por igual están en la misma proporción cumpliendo un cometido conjunto.

Me refiero con esto a que las diferencias que nosotros solemos establecer algunas veces entre apostolado, evangelismo, pastoreo, ejercicio del ministerio profético y la enseñanza por parte de los maestros no tienen fundamente alguno en cuanto a la importancia, capacidad y alcance dentro de la estructura de la iglesia. Todos son indispensables.

Aquí es necesario destacar la falta de conciencia de la necesidad urgente, como lo hace la iglesia actual con respecto a los pastores y en segundo lugar con los evangelistas, de ministros maestros constituidos por el Señor para la enseñanza de las Escrituras y la guía de la revelación divina. Quien quiere interesarse por el aprendizaje de las Escrituras debe arreglárselas solo en la mayoría de los casos, buscando seminarios, cursos por correspondencia, etc. Y este, que es el mejor de los casos por el interés que demuestran los estudiantes, es a partir de una necesidad de preparación porque tienen en mente cómo emplear lo que van a aprender en pastoreo; la mayoría, y en evangelismo los menos.

Pocos como iglesia tienen en cuenta que el ministerio de la enseñanza a cargo de los ministros maestros es de tanta importancia como el del pastoreo o la profecía. Casi todos los cristianos pensamos que tienen que ir a «aprender» las Escrituras sólo cuando van a ocupar «cargos» en la iglesia. Se ha perdido la visión de una iglesia como cuerpo de Cristo que incluya la enseñanza de manera urgente, natural y espontánea de los miembros del cuerpo de Cristo. No quiero exagerar con esto, pero creo que la misma hermandad en las iglesias esperan que esta tarea de enseñanza la realice el pastor y ese es el primer paso para entrar en los problemas que mencionamos antes.

Pregunto: ¿Usted consideraría que existe una iglesia si no hay un pastor en ella? Entonces, ¿qué tipo de razonamiento empleamos si pensamos que pueden existir iglesias sin maestros? ¿No son ellos también ministros que constituye el mismo Señor? Según el contexto de la epístola a los Efesios 4 nada hace pensar que los maestros estén en inferioridad de condiciones con respecto a los otros ministerios mencionados.

Los maestros deben enseñar, están puestos en la iglesia para eso, pero necesitan el lugar y el reconocimiento debido, si no se diluye la imagen y cometido del ministerio de enseñanza que Cristo le confiere como parte de su cuerpo. Son tan importantes como los profetas, apóstoles, evangelistas o pastores. Los maestros son necesarios para defender, con la ayuda del Espíritu Santo, el evangelio genuino (2 Timoteo 1:11-14). Deben guiar fielmente a la iglesia a la revelación bíblica y al mensaje original de Cristo; perseverando en esa tarea de exposición y esclarecimiento de la Palabra de Dios (Hechos 13:1).

Después de toda la exposición en este capítulo referente al MINISTERIO MAYOR de la iglesia y los ministros constituidos por el mismo Señor usted puede preguntarse: ¿Qué tiene que ver todo esto con las células? ¿Qué relación existe entre el tema de los ministerios y las células?

Bien. Para ser descriptivo quiero decir que las células permiten la constitución de forma definitiva del cuerpo de Cristo como un ORGANISMO completo. NO PERMITEN LA ESTRUCTURA PIRAMIDAL y no es compatible con ella por varias razones:

1. Porque la célula se desarrolla con un grupo pequeño de hermanos en donde cada uno puede poner de manifiesto lo que tiene de Dios:
   a) Porque existe el tiempo reloj para que se pueda llevar a cabo. Piense usted en los cinco ministerios y más de veinte dones. ¿Cómo hacen para ministrarse el uno al otro, como lo encarga 1 Pedro 4:10-11, en sólo un par de horas cuando la iglesia se reúne como congregación? El horario de los cultos generalmente está completamente cubierto con alabanzas y adoración, prédica de la Palabra, actividades especiales y anuncios, de todos los cuales ya casi tenemos tradición evangélica. ¿Qué margen de tiempo queda para que se ponga en actividad la ministración como lo indica Pedro?
   b) Porque en un grupo reducido de personas hay necesidades y situaciones que nos fuerzan a orar con intensidad, porque conocemos a fondo de lo que se trata y Dios habilita a los miembros de su cuerpo naturalmente para que cumplan su función dentro de la iglesia. Es sencillamente así.
2. Las células no tienen como finalidad exclusiva el evangelismo. No están destinadas para eso bíblicamente. Muchos cuando saben del tema de las células dicen: Mi iglesia no es evangelística. No

quiero células porque evangelizan y cuentan solamente eso como bueno, quiero que crezcan espiritualmente. Las células no son tampoco casas de oración. No están destinadas a los intercesores solamente. Tampoco son lugares de estudios bíblicos específicamente. UNA CÉLULA ES LA IGLESIA MISMA REUNIDA EN UNA CASA. Así es que tienen oración, evangelismo, enseñanza de la Palabra, ministración personal, liberación, alabanza, adoración, cobertura de necesidades específicas, etc. De manera que se ponen en acción TODOS LOS DONES Y TODOS LOS MINISTERIOS.

¿Qué otra alternativa tenemos para tener una iglesia así de completa?

La iglesia más grande del mundo ha puesto el nombre adecuado a su congregación LA IGLESIA DEL EVANGELIO COMPLETO. Corea. ¿Por qué? Porque está constituida íntegramente por células.

El evangelismo en esta calidad de iglesia es el resultado natural de la vida del cuerpo de Cristo en un mundo oscurecido por el pecado.

Así también todo tiene un equilibrio y no se fracciona el cuerpo de Cristo al hacer compartimentos como estudios bíblicos por un lado, evangelismo por otro, oración e intercesión por otro, etc.

Los miembros de una iglesia de células no son nominales y/o desocupados del reino. Cada uno tiene el lugar que le compete en el cuerpo de Cristo y puede desarrollarlo en plenitud.

3. Perseverar en el templo y en las reuniones de células en las casas, teniendo favor con todo el vecindario, traen definitivamente el versículo 47 del capítulo 2 de Los Hechos de los Apóstoles a la vida de la iglesia: «*El Señor añadía cada día a la iglesia los que habían de ser salvos*». Lea detenidamente ahora el versículo anterior.

4. Las células no permiten el estrellato de nadie, todos pertenecen al cuerpo, nadie está sentado en la punta de la pirámide dirigiendo el resto a su antojo. Entonces, libre de estructuras humanas o mundanas, los ministerios constituidos por el mismo Cristo se hacen evidentes, los dones repartidos por el Espíritu Santo pueden ponerse en acción. La capacidad de ministración recomendada por el apóstol Pedro de unos a otros es posible. Surge la necesidad de reconocer lo que Dios hace en cada uno de los miembros de su cuerpo. Nadie se arroga y ostenta el pedestal del mayor status social del grupo ni es alguien especial el que tiene ¡«la unción»! Lo que se pone de manifiesto es la intervención divina en cada persona. Sobresalen entonces la perfección, sincronización, armonía y capacidad de la CABEZA que gobierna todo, *CRISTO*. ASÍ ES SENCILLAMENTE LA VIDA DE LA IGLESIA DE CRISTO.

¿Puede ahora ver que los ministerios y los dones tienen mucho que ver con las células?

¿Se da cuenta de la importancia que esto reviste para la iglesia actual?

Dígame. ¿Usted no necesita este tipo de vida en su iglesia?

¿Qué razones tiene para no querer esto?

¿Cuáles son las «contras» que tiene este tipo de iglesia?

¿Puede encontrar fundamento bíblico para los mismos?

¿Qué puede hacer como iglesia de Cristo?

Resumen

• Después de exponer estos conceptos que me parecen básicos y primordiales le invito a que se anime y juntos como Cuerpo de Cristo podamos terminar de escribir el libro de Los Hechos de los Apóstoles en estos tiempos.

• Las promesas del Señor son inalterables. Su poder no se ha cortado y su propósito todavía es que todo el mundo escuche de la salvación.

• Usted y yo tenemos una meta para correr. Anímese a trabajar en su congregacion trabajando y orando para que tenga un modo bíblico de desarrollo ministerial y un gobierno acorde a la Palabra de Dios.

• Póngase a la par de su pastor y ayúdele idóneamente. Contribuya con sus dones. Hágalo siempre en amor. No busque reconocimientos personales. Asegúrese de ser reconocido por el Señor, pero si la congregación lo reconoce no se niegue a ello.

• No baje los brazos. El mundo espera su acción.

Capítulo XV

BREVE ESTUDIO SOBRE PROVERBIOS

¿Cuánto daríamos por encontrar cada día para nosotros sabiduría, prudencia, justicia, equidad, sagacidad, inteligencia y cordura?

Personalmente creo que estas cualidades no tienen un precio que sea mensurable por lo mucho que significan. ¿Cómo es que estando a mano tanta riqueza como la que acabo de enunciar, pase desapercibida para millones de personas? Ahora, casi obligadamente por este libro, accederá a un tesoro que siempre ha estado a su mano y que deberá tomarlo porque lo necesitará para liderar las células.

¿Por qué la Biblia incluye un libro como Proverbios?

Porque el libro de Proverbios fue escrito nada más ni nada menos que

«*... para entender sabiduría y doctrina, para conocer razones prudentes,*

para recibir consejo de prudencia, justicia, juicio y equidad;

para dar sagacidad a los simples, y a los jóvenes consejo,

para entender proverbios y declaración, palabras de sabios,

y sus dichos profundos» (Proverbios 1:2-6).

Además de estas fuertes razones, la Biblia incluye los proverbios porque fueron escritos bajo inspiración divina directamente. Tienen total correlación con el resto de las Escrituras del Antiguo y Nuevo Testamento. Conforman parte de la unidad de la Palabra de Dios de modo absoluto. Escritores del Nuevo Testamento hacen citas a estos Proverbios pues para ellos eran de importancia especial.

¿Por qué pasa desapercibido este tesoro entonces? Porque a pocos interesa la prudencia, sagacidad, inteligencia y cordura. El sabio que escribe Proverbios pregunta casi azorado: «*Hasta cuándo, oh simples, AMARÉIS la simpleza, y los burladores DESEARÁN el burlar, y los insensatos ABORRECERÁN la ciencia?*» (Proverbios 1:22).

¿Qué beneficios hay en conocer y atesorar esta palabra en nuestros corazones?

Al hacerlo somos receptores inmediatamente de una de las promesas más altas de la Biblia: «*Volveos a mi reprensión; He aquí yo derramaré mi espíritu sobre vosotros, y os haré saber mis palabras*» (Proverbios 1:23). Esta promesa es similar a la promesa que Él con su Espíritu escribiría su Ley en nuestras mentes y corazón. Estrechamente ligado al hecho de guardar Su Palabra y Sus mandamientos, Él enviaría su Espíritu Santo para que esté con nosotros, nos enseñe, nos guíe, nos diga las cosas que van a venir y glorifique al Hijo de Dios en nosotros mismos (Juan 14:1-4; 16:1-15).

Este es el mejor y más loable motivo que puede tener cualquier persona para escudriñar intensamente todo el libro de Proverbios.

ATESORAR EN EL CORAZÓN ESTAS PALABRAS Y ESPERAR QUE EL ESPÍRITU SANTO NOS PREPARE PARA EL GRAN DÍA DE LA MANIFESTACIÓN DE LOS HIJOS DE DIOS.

IMPORTANTE:

Cada pregunta se contestará por separado para ser entregado junto con la evaluación.

Los versículos que no están indicados como transcripción sirven sólo de guía para la respuesta. Cada concepto debe buscarse del diccionario bíblico o de la Lengua Española y transcribirlo.

Capítulo 1

Concepto: ***Sabiduría***

1. Mencione cinco motivos para los cuales se escribieron los Proverbios.
2. La codicia termina quitando la vida de sus poseedores, transcriba el v. 19. Hay ocho características de la codicia, escríbalas; vv. 10-14.
3. ¿Cuál es la pregunta del sabio que delata lo que hay en el corazón del hombre? Transcriba v. 22.
4. ¿Dónde se encuentra la sabiduría? vv. 20-21, 28.
5. ¿Dónde ha buscado sabiduría?
6. ¿Cuál es el principio de la sabiduría? v. 7.
7. ¿Usted desprecia la enseñanza? (sea sincero).
8. ¿Qué dice Dios a quienes no quieren oírlo ni entenderlo? vv. 24-33.
9. ¿Por qué cree en la promesa de Dios del v. 23?
10. Transcriba y memorice el v. 23.

Capítulo 2

Concepto: ***Prevaricadores***

1. ¿Quién da la sabiduría? v. 6. Transcriba Santiago 1:15; 3:13-18.
2. ¿Cuáles son los beneficios de tener sabiduría de parte de Dios? vv. 9 al 19.
3. ¿Adónde lo llevará la sabiduría? vv. 20-22.
4. ¿Cómo se obtiene esta sabiduría? vv. 1-5.
5. ¿Cuántas veces reclamó sabiduría a Dios? vv. 6-8.
6. Transcriba y memorice vv. 6-8.

Capítulo 3

Conceptos: ***Bienaventurados***
Abominación
Escarnecedor
Ignominia

1. ¿Qué ganancias hay en hallar la sabiduría y obtener inteligencia? vv. 13 y 14.
2. ¿Por qué debemos fiarnos totalmente en Dios? vv. 5-8.
3. ¿Qué promesa tiene Dios para aquellos que lo honran con sus bienes? vv. 9-10.
4. ¿A quién hay que hacer el bien? v. 27.
5. ¿Cuándo hay que hacer el bien? v. 27.
6. ¿Cuándo tiene para dar, qué debe hacer? v. 28.
7. Sea leal y mantenga la paz. Transcriba vv. 29 y 30.
8. ¿Envidiamos a los injustos? v. 31.
9. ¿A quién abomina y maldice Dios? vv. 32-33.
10. ¿Con quiénes tiene comunión y bendice su morada el Señor? vv. 32-33.
11. ¿Qué hará con los escarnecedores? v. 34.
12. ¿Y a los humildes...? Transcriba v. 34.
13. ¿Qué llevarán los necios? v. 35.
14. ¿Los sabios...? v. 35.
15. Transcriba vv. 1, 21, 2, 22, 3, 23, 4, 24-26.
16. Transcriba y memorice vv. 11-12.

Capítulo 4

Conceptos: ***Perversidad***
Iniquidad

1. Anote cada recomendación de gran valor; vv. 5-9.
2. ¿Quién es nuestro Padre amante y benigno que nos llevará por caminos seguros? vv. 1-4, 20-22.
3. ¿Hay garantías para el que anda sabiamente? vv. 10-13.
4. Los impíos no duermen si no han hecho ¿qué cosa? vv. 14-17, 19.
5. Los justos también tienen lo suyo. Transcriba v. 18.
6. Cuide que estas cosas no estén en su boca. v. 24.

7. Sus ojos deben tener esta actitud. v. 25.
8. Usted es su vigilante, apártese, no se desvíe... vv. 26, 27.
9. Transcriba y memorice v. 23.

Capítulo 5

1. ¿La sabiduría y la inteligencia tienen aplicaciones prácticas morales en las personas, como por ejemplo la sexualidad? vv. 1-3.
2. ¿Por qué se anda ciego con la mujer ajena? vv. 20 y 24.
3. ¿Qué terribles consecuencias tiene la impureza sexual? vv. 4-6, 10-14, 22, 23.
4. ¿Por qué alejarse de ella es prudente? vv. 7-9.
5. Consejos sabios para quienes quieren ser sabios, anótelos resumidamente; vv. 15-19; Éxodo 20:17; Génesis 2:20-25; 1 Corintios 7:1-6, 10-11; Mateo 5:31-32 ; Marcos 10:10-12.
6. Transcriba y memorice v. 21.

Capítulo 6

El adulterio es un grave y horrendo pecado contra Dios y el cónyuge inocente, la vergüenza y la deshonra de ese pecado permanecen en el culpable para toda la vida. Aunque la culpa del adulterio puede ser perdonada por el arrepentimiento del mismo, permanecerá la afrenta y jamás desaparecerán las cicatrices. Transcriba vv. 20-35.

1. Seis cosas aborrece el Señor; vv. 16-19.
2. Si eres garante o fiador de tu amigo ya sabes qué hacer; vv. 1-5.
3. La pereza puede adueñarse de una persona. ¿Qué ocurre con ella? vv. 6-11.
4. Las perversidades que hay en el corazón salen por la boca y por los modales y tienen efectos sociales. ¿Cuál es el resultado que se puede esperar? vv. 12-15.
5. Transcriba y memorice el v. 19. Dios aborrece al que siembra discordias.

Capítulo 7

Este capítulo está dedicado completamente a la ramera y al hombre que es enredado en sus ligaduras de muerte. Resumir los conceptos.

1. ¿Qué vio por la ventana? vv. 6-9.
2. Anote en qué se muestra la falta de entendimiento. vv. 21-23.
3. ¿Una mujer ramera es astuta de corazón? Resuma los conceptos de los vv. 10-13, 20.
4. ¿Hay posibilidad de no caer en sus redes? Analice vv. 1-3, 24-27.
5. Transcriba y memorice vv. 4 y 5.

Capítulo 8

1. Si el temor de Jehová es el principio de la sabiduría, ¿que es el temor de Jehová? v. 13.
2. ¿Cuál es el origen de la sabiduría? vv. 22-25.
3. ¿Estuvo presente en la creación? vv. 26-30.
4. ¿En qué se regocija la sabiduría? v. 31.
5. ¿Dónde podemos encontrar la sabiduría? vv. 1-9, 32-36.
6. ¿Qué valores tiene la sabiduría? vv. 10-12, 14-16, 18-21.
7. Transcriba y memorice v. 17.

Capítulo 9

Concepto: ***Cordura***

1. ¡Qué distinguida invitación! ¿La acepta? vv. 1-6.
2. ¡La mujer insensata también invita! Pero, ¿dónde están sus convidados? vv. 13-18.
3. Esto es Palabra de Dios. Somos tentados a corregir a quien no nos conviene corregir. Complete vv. 7-9.
4. El temor de Jehová es...? vv. 10; Job 28:28; Salmos 111:10.
5. Una promesa más. Transcriba v. 11.
6. Transcriba y memorice v. 12.

Capítulo 10

Conceptos: ***Negligencia***
Impío

1. Diversión para unos recreación para otros. Comente en grupo v. 23.
2. En este capítulo hay seis promesas para el justo y los suyos, enumérelas. vv. 24, 6, 30, 25, 27, 3.
3. Los labios y la boca son canales por donde sale lo que hay en el corazón. ¿En qué consiste la prudencia? vv. 18-21.
4. Los labios y la boca de los justos tienen lo suyo. Medite vv. 11-14, 31, 32.
5. Distintas fortalezas. ¿Cuál le gusta? vv. 29, 15.
6. El negligente o perezoso no prosperará. Transcriba vv. 4-5, 26.
7. ¡Qué contrastes! Resuma vv. 1-2, 7-9, 16-17, 28.
8. ¿Será cierto? Medite y escriba conclusión v. 10.
9. Transcriba y memorice v. 22.

Capítulo 11

1. Los justos y los impíos serán recompensados aquí. Transcriba v. 31; 1 Pedro 4:18.
2. Más promesas. ¿En que consisten? Enumere vv. 28, 25, 21, 4.
3. Jehová abomina estas cosas; vv. 1, 20.
4. Hay mujeres y mujeres. Descríbalas y saque conclusión vv. 16, 22.
5. El malo, el impío y los crueles viven así. Destaque algunas descripciones vv. 7-17, 18-19, 21, 23, 29, 3, 5.
6. ¿... y los generosos? Comente en grupo vv. 24-26.
7. Buscando al fin... Transcriba v. 27.
8. ¡Quién pudiera callar...! ¿Qué hace el prudente y qué el chismoso? vv. 12 y 13.
9. Si quiere ansiedad haga esto. Medite v. 15.
10. Soberbia es no querer tener consejeros a la par. ¿Es verdad? vv. 2, 14.
11. ¿De qué sirve la justicia? vv. 4-6, 8-10.
12. Transcriba y memorice; v. 30.

Capítulo 12

Conceptos: ***Indolente***
Abominación
Injuria
Diligencia

1. Impíos versus justos. Confeccione un cuadro; vv. 3, 5-7, 12-13, 21, 26, 10.
2. ¿Mentiras? Qué dice Dios. vv. 17-20, 22.
3. Instrucción, reprensión y consejo llevan a la sabiduría. ¿Qué pasa con quienes no aceptan estas cosas? vv. 1, 15.
4. ¿Qué hace el prudente? v. 16.
5. Buenos y malos. ¿Qué hará Dios con ellos? Note que habla de malos pensamientos. v. 2.
6. Mujeres distintas. Transcriba v. 4.
7. ¿Las palabras tienen efectos? Conteste sí o no. vv. 6, 18-19, 25.
8. La pobreza no llega sola. ¿Cuáles son las palabras clave? vv. 27, 24, 11, 14, 9.
9. Sabiduría y justicia son ganancias. ¿Qué se halla con ellas? vv. 8, 28.
10. Transcriba y memorice v. 23.

Capítulo 13

Conceptos: ***Infame***
Barbecho

1. Justos y necios. Describa sus características en un cuadro. vv. 25, 21, 5, 6, 9.
2. Ricos y pobres. ¿A qué se debe esta situación? Debata en grupo vv. 7, 8, 11, 23.
3. Deseos cumplidos. ¿Qué relación encuentra? vv. 12, 19.
4. El mensajero siempre acarrea algo. Transcriba v. 17.
5. No rechace el consejo. ¿Por qué? vv. 1, 13, 15, 18.
6. Nuestra boca necesita ser controlada. ¿En qué otro libro de la Biblia se refiere al tema? vv. 2 y 3.
7. Más promesas. Lea y medite v. 22.
8. Más sabiduría. Dé ejemplos concretos. vv. 14, 20, 16, 10.

9. El perezoso también tiene su merecido. ¿Es sólo una cuestión cultural? v. 4.
10. Transcriba y memorice v. 24.

Capítulo 14

Conceptos: ***Infatuación***
Asolamiento

1. ¿Para qué sirven los testigos? vv. 5, 25.
2. Necios e impíos, ¡Qué vida! Haga un cuadro comparativo vv. 3, 7, 9, 11, 14, 22.
3. La mujer sabia... ¿Cómo puede hacer esto? Dé ejemplos. v. 1.
4. Defina en breves palabras la actitud de los rectos y los prudentes. vv. 2, 8, 18, 33.
5. Los entendidos... ¿Qué ganan? vv. 6, 16, 24, 15.
6. ¿El temor de Jehová? Medite vv. 26 y 27.
7. No menosprecie a su prójimo. ¿Por qué? vv. 21, 31.
8. ¿Qué moraleja nos dejan estos versículos? vv. 4, 23.
9. ¿Qué tienen en común estos versículos? vv. 17, 29.
10. ¡Pobre los pobres! ¿Por qué siempre es así? v. 20.
11. ¿En qué piensa usted? Medite objetivamente en v. 22.
12. ¿Quién es más importante, el rey o su pueblo? vv. 28, 35.
13. Se reclama justicia. ¿Esto debe ser así? Debata en grupo v. 34.
14. Transcriba y memorice v. 12.

Capítulo 15

Conceptos: ***Seol***
Abadón
Reconvenir
Iracundo

1. ¿Tiene importancia lo que hay en el corazón? ¿Por qué? vv. 7, 13-15, 28, 30.
2. La lengua es bendición o tormento. Haga dos columnas vv. 1-2, 4, 7, 23.
3. ¿La oración en Proverbios? Transcriba y medite vv. 8, 29.

4. Se debe empezar de nuevo, ¿Cuándo? vv. 10, 31, 32, 5, 12, 21.
5. ¿Se puede ocultar algo de Dios? vv. 3, 11, 9.
6. Provisiones que dan gusto. ¿Por qué estos versículos hablan así? vv. 6, 16 y 17.
7. ¿Quiénes promueven la contienda? v. 18.
8. El perezoso no quiere ni caminar. Medite v. 19.
9. ¿A quién se alegra o menosprecia? Comente en grupo v. 20.
10. ¿Por qué se frustran los pensamientos? v. 22.
11. ¿El Seol está debajo? Medite v. 24.
12. Tremenda aseveración. Transcriba vv. 25 y 26.
13. La codicia y el soborno van de la mano. ¿Por qué? v. 27.
14. El temor de Jehová... ¿Con qué otro texto bíblico está relacionado? v. 33.
15. Transcriba y memorice v. 1.

Capítulo 16

Concepto: ***Prevaricar***

1. Jehová Dios interviene en estas cosas. ¿Qué conclusión saca? vv. 1-6, 9, 11, 20, 33.
2. Poco o mucho. ¿A qué pecado se refiere este v. 8?
3. Los reyes. ¿Qué tienen en su mano? vv. 10, 12-15.
4. ¿Qué es mejor? vv. 16, 19, 32.
5. Resuma lo que sale por los labios con una corta oración vv. 21, 23-24, 26.
6. Los necios, malos y perversos son así vv. 22, 27-30.
7. La mejor jubilación. ¿Cómo se la obtiene? v. 31.
8. Lo de siempre. Transcriba v. 25.
9. Los rectos se apartan... ¿de dónde? v. 17.
10. ¿Qué produce el quebrantamiento y la caída? v. 18.
11. Transcriba y memorice v. 7.

Capítulo 17

Concepto: ***Abominación***

1. ¿Qué es mejor? vv. 1, 12.
2. ¿Qué se traen los hijos? vv. 21, 25.

3. Condenar al justo no es bueno, ¿Por qué? vv. 15, 16.
4. Un círculo de hierro. Dos de estos versículos describen el final del malo. Identifíquelos. vv. 13, 4, 11, 19, 20.
5. ¿De qué se encarga el Señor? vv. 3, 5.
6. Los abuelos, nietos e hijos. ¿Ahora es así? v. 6.
7. No conviene... Transcriba v. 7.
8. Se prospera con el soborno pero ¿es bueno? vv. 8, 23.
9. ¿Usted hace eso? v. 9.
10. Defina estos versículos con sus propias palabras. vv. 10, 24.
11. Hasta los huesos. ¿Por qué es así? v. 22.
12. ¿Dios aborrece a quien siembra discordias? v. 14.
13. No sirve de nada comprar sabiduría. v. 16.
14. ¿Quién sale de garante? v. 18.
15. ¿Puede ahorrar sus palabras? vv. 27 y 28.
16. Transcriba y memorice v. 17.

Capítulo 18

Concepto: ***Tenaz***

1. Las riquezas traen altivez. ¿Los cristianos pueden ser ricos? vv. 11, 23.
2. ¿En qué circunstancia no es bueno respetar la persona del impío? vv. 5, 3, 2.
3. Resuma en una oración todos estos versículos. 4, 6, 8, 13, 20, 21, 7.
4. Realice un cuadro comparativo. v. 12.
5. ¿Quién soporta al angustiado? ¿Cómo se define en esta época a ese estado de ánimo? v. 14.
6. Negocios y trabajo. Medite. ¿Cómo es usted? vv. 1, 9.
7. Lea detenidamente v. 15.
8. Justo parece... Para meditar v. 17.
9. ¡Ensanche su camino! ¿A qué se refiere? v. 16.
10. ¿Existe la suerte? v. 18.
11. Ofensas y contiendas no hacen bien a nadie. Dé ejemplos. v. 19.
12. ¿Cuál es el concepto de la sociedad actual con respecto al matrimonio? v. 22.
13. ¿Usted tiene amigos? Lea v. 24.
14. Transcriba y memorice v. 10.

Capítulo 19

1. ¿Es verdad que las riquezas son motivo de atracción? vv. 4, 6, 7, 25.
2. ¿Los testigos falsos tienen castigo? vv. 5, 9, 28.
3. ¿Qué relación tienen estos versículos? vv. 1, 22.
4. Ciencia, inteligencia y cordura, ¿para qué sirven? vv. 2, 3, 8, 11.
5. ¿Por qué no conviene? v. 10.
6. Consejo y mandamientos, ¿para qué atesorarlos? vv. 16, 20, 21.
7. ¿Cumples estos versículos? vv. 26, 18, 27.
8. ¿Es verdad que la pereza destruye al hombre? vv. 24, 15.
9. ¿Qué prefieres? v. 12.
10. Dolores para los hombres. Medita v. 13.
11. ¿De dónde proviene la mujer prudente? v. 14.
12. Sumar la violencia a la ira es nefasto. Ejemplifique el v. 19.
13. ¿Cómo reposarás? v. 23.
14. ¿Cuál es la paga de los escarnecedores y los necios? v. 29.
15. Transcriba y memorice v. 17.

Capítulo 20

1. ¿Quién es el rey de su vida? vv. 8, 2, 28, 26.
2. ¿Cuál es la consecuencia de la pereza? vv. 4, 13.
3. Mira a Dios, espera en Dios. Transcriba el que más le guste. vv. 10, 23, 22, 24, 27, 12.
4. El que anda en chismes... ¿Qué encuentra? v. 19.
5. Consejo, integridad y verdad van de la mano. vv. 5, 6, 7, 18, 11.
6. ¿Qué efectos tienen la sidra y el vino? v. 1.
7. ¿Puedes dejar la contienda? v. 3.
8. ¿Con qué historia relacionas el v. 9?
9. ¿Usted lo ha hecho? v. 14.
10. Joya preciosa hay en sus labios. Transcriba v. 15.
11. Va a quedar sin nada. Dé ejemplos. v. 16.

12. Algo pasa después de la mentira. Dígalo. v. 17.
13. No apague su lámpara. Medite en grupo v. 20.
14. ¿Sus bienes deben ser bendecidos? v. 21.
15. Por favor, ¿puede reflexionar antes? v. 25.
16. ¿No sirve ni el castigo para el malo? v. 30.
17. Transcriba y memorice v. 29.

Capítulo 21

Conceptos: ***Dádiva-Don***
Guardar
Presuntuoso
Insolencia

1. ¿Con quién no se puede vivir? vv. 9, 19.
2. ¿Qué caracteriza al imprudente? vv. 5, 20.
3. ¿Tienen relación las apariencias y la envidia? vv. 6, 17, 26.
4. Diga quiénes están en las manos de Dios. v. 1.
5. Dios sabe perfectamente todo. Transcriba vv. 2, 3.
6. Los impíos tienen su pago. Resuma en breves palabras estos vv. 4, 7, 10, 27, 29, 18.
7. ¿Qué piensa el hombre de sus propios caminos? v. 8.
8. ¿Qué traen aparejado las amonestaciones y los castigos? v. 11.
9. ¿Qué nos enseña el Señor con respecto a los pobres? v. 13.
10. Anote qué historia bíblica avala este texto. v. 14.
11. ¿Qué alegra al justo? v. 15.
12. ¿Si te apartas de la sabiduría qué pasa? v. 16.
13. ¿Qué pasa si sigues el camino de la justicia y la misericordia? v. 21.
14. No confíes en la fuerza, los sabios pueden más que ella. Medite v. 22.
15. ¿Qué debes guardar? v. 23.
16. ¿Cuál es el nombre del que obra con saña? v. 24.
17. ¿Qué es lo que mata al perezoso? v. 25.
18. ¿Qué gana un testigo mentiroso? v. 28.
19. Jehová es quien da la victoria. Medite v. 31.
20. Transcriba y memorice v. 30.

Capítulo 22

Conceptos: ***Indigente***
Iracundo
Afrenta

1. ¿Puede contestar esta pregunta? vv. 20, 21.
2. ¿Quiénes se aprovechan de los pobres? vv. 7, 16, 22, 23.
3. Esto le hace saber Dios. Transcriba vv. 17-19.
4. Fosa profunda... Comente en grupo v. 14.
5. ¿Te gusta salir de garante? vv. 26, 27.
6. No te entremetas ni acompañes a estos hombres. Enuméralos, vv. 24, 25.
7. Lo que el hombre siembra eso cosecha. Cite otro texto afín. v. 8.
8. ¿Qué es de más estima para usted? v. 1.
9. ¡Qué hermoso es esto! Dígalo con sus propias palabras. v. 4.
10. Dios los hizo y ellos se encuentran. ¿Quiénes son? v. 2.
11. Marque la diferencia v. 3.
12. ¿Amas la corrección? v. 15.
13. Si guarda su alma ¿de quién se alejará? v. 5.
14. Seguridad y confianza. Comente en grupo v. 6.
15. ¿Quién se encarga de los prevaricadores? v. 12.
16. ¿A quién debes echar? v. 10.
17. ¿Ya lo sabes? Comente en grupo v. 6.
18. ¿Cómo mira? v. 9.
19. ¿Qué pretextos tiene el perezoso? v. 13.
20. ¿Por qué podría ser amigo de los poderosos? v. 11.
21. Transcriba y memorice v. 29.

Capítulo 23

Conceptos: ***Avaro***
Codicia

1. ¿El comilón y bebedor tiene los vestidos rotos? vv. 19-21.
2. ¿Este texto puede usarse para definir la adicción? vv. 29-35.
3. ¿Qué consecuencias se ven hoy con la prostitución? vv. 26-28.

4. Si tiene hambre ante un señor ¿qué debe hacer? vv. 1-8.
5. ¿Sus padres pueden alegrarse? vv. 15, 16, 22-25.
6. Ocúpate de esto. Relee vv. 12, 9.
7. ¿Qué planes tiene para su futuro económico? vv. 4, 5.
8. ¿Quién es el defensor de los huérfanos? vv. 10-11.
9. Todo lo que tiene el avaro no sirve. Transcriba vv. 6-8.
10. Escriba con sus palabras estos versículos 17 y 18.
11. Transcriba y memorice vv. 13-12.

Capítulo 24

Concepto: ***Veleidoso***

1. ¿Quién se acerca como hombre armado al perezoso? vv. 30-34.
2. Tenga en cuenta esto para su trabajo. Medite v. 10.
3. Comente en grupo el v. 27
4. ¿A qué se refiere esta palabra? vv. 3, 4.
5. Diga con sus palabras los vv. 5, 6.
6. Tema a Jehová y al rey. Medite en grupo vv. 21 y 22.
7. ¿Es pecado pensar mal? vv. 8, 9.
8. No envidie a los malos. Transcriba vv. 1, 2, 19-20.
9. Fíjese en esto. Medite vv. 13, 14.
10. ¿Quiénes no alcanzan sabiduría? v. 7.
11. ¿Puedes justificarte ante Dios? vv. 11 y 12
12. Cite otro texto que hable de la venganza. vv. 28, 29.
13. ¿Cuántas veces puede caer el justo? vv. 15 y 16.
14. Haga suyo estos dichos. Comente en grupo los vv. 23-26.
15. Transcriba y memorice vv. 17 y 18.

Capítulo 25

Conceptos: ***Liberalidad***
Testimonio
Rencilla

1. ¿Quiénes copiaron estos Proverbios? v. 1.
2. Transcriba y subraye lo importante. v. 11.
3. ¿Será así? Dé ejemplos vv. 16, 27.

4. ¿Sabes qué hacer al fin de un pleito? vv. 8-10.
5. Cite otro texto que hable de lo mismo. vv. 21 y 22.
6. ¿A qué se refieren los versículos 2 y 3?
7. ¿Qué cara puso? v. 23.
8. Escriba las semejanzas. vv. 4 y 5.
9. ¿Cuál es la mejor noticia que puede dársele a un hombre? vv. 13, 25.
10. ¿Cómo es su relación con los vecinos? v. 17.
11. ¡Qué vergüenza! Transcriba vv. 6 y 7.
12. ¿Qué dice Pablo que hay que hacer cuando se está afligido? v. 20.
13. ¿Qué es la falsa liberalidad? v. 14.
14. Enumere los efectos del falso testimonio. v. 18.
15. ¿Es valioso reprender al sabio? v. 12.
16. ¿Qué hace la lengua blanda? v. 15.
17. ¿Quién es tu sustento? vv. 19, 26.
18. Parece que la casa espaciosa no es todo. Transcriba v. 24.
19. Transcriba y memorice v. 28.

Capítulo 26

Conceptos: ***Lisonja***
Tiesto

1. El necio tiene un lugar preponderante en los Proverbios. Destaque con sus palabras el versículo que más le interese. vv. 11-12, 6-9, 1-3, 5.
2. ¿Qué opina de las bromas? vv. 17-19.
3. Dé ejemplos de la lengua falsa. vv. 28, 23.
4. Puede decir con sus propias palabras lo del perezoso. vv. 13-16.
5. ¿Qué se acaba cuando no hay chismosos? vv. 20-22.
6. ¿Puede disimular el que odia? vv. 24-26.
7. Medite el versículo 27.
8. ¿Quién va a trabajar contigo? Medite el v. 10.
9. Transcriba y memorice el v. 4.

Capítulo 27

Conceptos: ***Aguzar***
Majar

1. ¿Cuándo están satisfechos los ojos? v. 20.
2. ¿Cómo entiende este versículo? v. 10.
3. ¿Cómo andan sus negocios ? Diga por qué. vv. 23, 24, 18, 26, 27, 25.
4. ¡Ay las mujeres! vv. 15, 16.
5. ¿Quién debe alabarle? vv. 2, 21.
6. ¿El hambriento come lo que sea? v. 7.
7. Cruel es la ira; ahora bien, ¿quién soporta la envidia? vv. 3 y 4.
8. ¿Qué puede decir del día de mañana? v. 1.
9. ... se corresponden. Transcriba v. 19.
10. ¿Qué alegra el corazón de un padre? vv. 9, 11.
11. ¿Qué prefieres? v. 6.
12. ¿Piensa que es importante en su familia? v. 8.
13. ¿Por qué esto es maldición? v. 14.
14. ¿Cómo prefiere ser? v. 12.
15. ¿Qué nombre le cabe al fiador? v. 13.
16. Un amigo puede despabilarle. Medite v. 17.
17. ¿Qué se puede hacer con un necio? v. 22.
18. Transcriba y memorice v. 5.

Capítulo 28

Conceptos: ***Suscita***
Avaricia
Extorsión

1. ¿Confía en su corazón? vv. 26, 18, 14.
2. ¿Qué es preferible? vv. 6, 11.
3. ¿Quiere enriquecese de golpe? Medite vv. 8, 20, 22.
4. ¿En qué grupo está? vv. 2, 5.
5. ¿Por qué a veces hay que esconderse? vv. 28, 12.
6. ¿Qué va a hacer con los pobres? vv. 3, 27.
7. ¿Huye o está confiado? v. 1.
8. ¿Aborrece la extorsión y la avaricia? Escriba su decisión. vv. 16, 15.

9. ¿De qué lado está? v. 4.
10. ¿Alguien puede parar a un hombre así? v. 17.
11. ¿Qué clase de hijo es? v. 7.
12. ¿Quiere pobreza? Transcriba v. 19.
13. ¿Robó a sus padres? v. 24.
14. ¿El que mal anda mal acaba? vv. 9, 10.
15. ¿Es bueno hacer acepción de personas? v. 21.
16. ¿Qué hará? v. 23.
17. ¿Divide o multiplica? v. 25.
18. Transcriba y memorice v. 13.

Capítulo 29

Conceptos: ***Usurero***
Transgresión
Imprecación
Cerviz

1. ¿Qué deben hacer los que reinan? vv. 4, 14, 12.
2. ¿Qué hacen los impíos? vv. 2, 7, 16, 27.
3. ¿Por qué debe corregir a su hijo? vv. 15, 17.
4. ¿Quién no tiene remedio? v. 1.
5. ¿Puede confiar totalmente en Dios? v. 25.
6. ¿Qué ventajas tienen los sabios? vv. 8-9, 3, 11.
7. ¿A quién pide justicia? v. 26.
8. ¿Quién aborrece al perfecto? v. 10.
9. ¿Qué se hace para no tender red delante de nuestros pasos? v. 5.
10. ¿Por qué el justo cantará y se alegrará? v. 6.
11. ¿Atracción fatal? v. 13.
12. Describa las dos clases de siervos. vv. 19, 21.
13. Su lengua puede destruirle. Anote lo más importante. v. 20.
14. ¿Qué actividad tienen el iracundo y el furioso? v. 22.
15. ¿A quién sustenta la honra? v. 23.
16. ¿De quién no puedesser cómplice? v. 24.
17. Transcriba y memorice v. 18.

Capítulo 30

Concepto: ***Menesteroso***

1. ¿Qué cosas son las que nunca se sacian? vv. 15-17.
2. Conteste cada una de las preguntas del v. 4.
3. ¿Qué características de generaciones se describen aquí? vv. 11-14.
4. Diga qué animales son más sabios que los sabios. vv. 24-28.
5. Siempre trae problemas añadir palabras a la palabra de Dios. Cite otro texto. vv. 5, 6.
6. ¿Cuándo puede llevar el castigo? v. 10.
7. Ponga el dedo sobre su boca. Transcriba v. 32.
8. ¿Qué logra el que provoca ira? v. 33.
9. ¿Quién dice no he hecho maldad? v. 20.
10. ¿Qué cosas alborotan la tierra? vv. 21-23.
11. ¿Quién habló estas cosas? v. 1.
12. Transcriba y memorice vv. 7-9.

Capítulo 31

Concepto: ***Virtuosa***

1. Lemuel, rey enseñado con profecía por su madre. Transcriba vv. 1-5.
2. ¿A quién damos la sidra y el vino? vv. 6, 7.
3. ¿Cuándo debes hablar? vv. 8, 9.
4. ¡Mujer ejemplar ! ¿Y su marido? Medite en grupo vv. 10-31.
5. Transcriba y memorice v. 30.

COMPROMISO DEL LÍDER DE CÉLULA

Creo que Dios nos ha dado la visión de extender su reino a través del evangelio. La misión es trabajar como cristianos **DISCIPULANDO** a otros miembros. Esto es cumplir la Gran Comisión entregada por Cristo Jesús y estoy convencido que de esa manera aportaré lo suficiente para que todo el que esté alrededor mío conozca a Cristo como su salvador.

Me comprometo a esforzarme hasta lo máximo posible para trabajar en las reuniones de células, cumpliendo fielmente mi parte. Me comprometo a cuidar de mi vida espiritual y mi familia. Además, voy a encargarme en las reuniones de células de orar, alabar, enseñar, dirigir al grupo con sus actividades, visitar y ministrar en general.

Estoy dispuesto a rendir cuentas en cualquier momento al supervisor o al pastor de mi iglesia, a ser obediente y leal al ministerio, caminando hacia la meta que Dios quiere.

Sé y entiendo que este es un pacto de amor y voluntad propia, no una obligación legal. Si Dios indica que en otro momento ocupe otro trabajo, el que sea, dentro de su obra, entonces soy libre de este compromiso y puedo, con buena comunicación y relación con todos los hermanos, salir sin quejas ni entorpeciendo el trabajo de la obra en su conjunto.

Apellidos y Nombre ______________________________

Dirección ______________________________

DNI ______________ Teléfono ______________

Estado Civil __________ Fecha de nacimiento ___/___/___/___/

Iglesia a la que pertenece ______________________________

Nombre del supervisor ______________________________

Nombre y apellido del pastor ______________________________

FECHA

/........../........../........../ ....

FIRMA

....

SUPERVISOR PASTOR

DATOS PERSONALES DEL LÍDER DE CÉLULA

Nombre completo ______________________________

______________________ F. Nacimiento __/__/__/

Dirección ______________________________

______________________________ Tel. __________

ESTADO CIVIL: CASADO(A) ❑ SOLTERO(A) ❑

DIVORCIADO(A) ❑ VIUDO(A) ❑

NOMBRE DE TU ESPOSA(O) ______________________

TU CóNYUGE ¿ES CRISTIANO? ______________________

FECHA DE NACIMIENTO __/__/__/__

NOMBRE DE TUS HIJOS (por edad) ______________

____

FECHA DE NACIMIENTOS EN EL MISMO ORDEN DE ARRIBA

____

PROFESIÓN, OFICIO U OCUPACIÓN ______________

LUGAR DE TRABAJO ______________________

TEL. DEL TRABAJO __________ HORARIOS __________

SI ESTUDIAS, ¿DÓNDE? ______________ TEL. __________

¿CUÁNTO TIEMPO TIENES COMO CRISTIANO? __________

¿ERES BAUTIZADO EN AGUA? ______ ¿EN ESPÍRITU SANTO?

¿HACE CUÁNTO TE CONGREGAS EN ESTA IGLESIA? ______

¿QUÉ TRABAJOS DESARROLLASTE EN LA MISMA? ______

¿HACE CUÁNTO LEÍSTE ESTE LIBRO DE CAPACITACIÓN? ____

¿CUÁNTAS VECES SE HA DIVIDIDO LA CÉLULA A LA QUE ASISTÍAS? ______________________________

Escribe tu opinión acerca de las células y apunta en ella qué es lo que le falta o le sobra, fundamenta todo lo que expongas con textos bíblicos.

ASISTENCIA CONTROLADA

REGISTRO DE MIEMBROS EN CADA REUNIÓN DE CÉLULAS

REPORTE A SUPERVISORES

ZONA ...... SECTOR ...... GRUPO ...... ANFITRIÓN ....

LÍDER ________________ COLABORADOR ________________

SUPERVISOR ________________ BIMESTRE ____/________

NOMBRE:	P	A	P	A	P	A	P	A	P	A	P	A	P	A	P	A

REPORTE DE LÍDERES DE REUNIÓN DE CÉLULA A SUPERVISORES

«PROCURA CON DILIGENCIA PRESENTARTE A DIOS APROBADO, COMO OBRERO QUE NO TIENE DE QUÉ AVERGONZARSE, QUE USA BIEN LA PALABRA DE VERDAD» **(2 Timoteo 2:15)**

ZONA ...... SECTOR ...... GRUPO ...... CÉLULA Nº ....

ANFITRIÓN ______________________

DIRECCIÓN ______________________

DÍA DE REUNIÓN ______________ FECHA __/__/__

HORA DE INICIO ________ HORA DE CIERRE __________

ASISTENCIA: MIEMBROS ADULTOS __________

INVITADOS ADULTOS __________

NIÑOS __________

TOTAL __________

TEMA TRATADO ______________________

____

____

NECESIDAD ESPECIAL ______________________

____

NÚMERO DE REUNIÓN DE CÉLULA DEL MANUAL ________

OFRENDA $ __________

LÍDER __________ Nº CÉLULA __________ FIRMA SUPERVISOR

FECHA __/__/__ ....

FIRMA SUPERVISOR

IGLESIA ______________

PASTOR ______________ ....

FECHA __/__/__ FIRMA PASTOR

REPORTE SEMANAL DE SUPERVISORES A PASTORES

SUPERVISOR ______________________________

Nº	Líderes	Código	Asistencia Niños/Adultos	Ofrenda	Se congregan

TOTAL ______________

PERSONAS QUE ESCRIBEN SU TESTIMONIO DE ENTREGA
____

PERSONAS PARA BAUTIZAR ______________________________

PRESENTACIONES DE NIÑOS ______________________________

FECHA __/__/__/ ....
FIRMA

ENCARGADO GENERAL DE SUPERVISORES ______________

FECHA __/__/__/ ....
FIRMA

IGLESIA ______________________________

PASTOR ______________________________

FECHA __/__/__/ ....
FIRMA

REPORTE BIMESTRAL DE SUPERVISORES A PASTORES

ZONAS /__/__/__/__/

SECTORES /__/__/__/__/

GRUPOS /__/__/__/__/

CANTIDAD DE CÉLULAS CON LAS QUE COMENZÓ EL BIMESTRE ________

CANTIDAD DE CÉLULAS AL TERMINAR EL BIMESTRE ____

ASISTENCIA CON LA QUE COMENZÓ EL BIMESTRE _____

ASISTENCIA AL TERMINAR EL BIMESTRE ____________

CANTIDAD DE PERSONAS BAUTIZADAS EN EL BIMESTRE __

CANTIDAD DE CÉLULAS QUE SE DIVIDIERON EN EL BIMESTRE ______________________________

LUGAR DE PRÓXIMA REUNIÓN CON LOS LÍDERES

FECHA Y HORA DE REUNIÓN ______________________

OFRENDAS

EL BIMESTRE PASADO ___ CANTIDAD DE CÉLULAS ____

SUPERVISOR ______________

FECHA _/_/_/ ....

FIRMA

IGLESIA ________________

PASTOR ________________

FECHA _/_/_/ ....

FIRMA

....

LÍDER

....

SUPERVISOR

....

PASTOR

....

LÍDER

....

SUPERVISOR

....

PASTOR
Asistencia Niños/Adultos

Querido lector:

Quiero contribuir a la extensión del reino de Dios junto a usted. Dios ya me ha dado el privilegio de servir en varias iglesias de Argentina, ayudando a capacitar a sus líderes a través de prédicas, seminarios y conferencias; pero creo que todavía hay mucho trabajo por realizar.

Estoy a disposición de pastores, iglesias u organizaciones que deseen capacitar a sus líderes para cumplir la Gran Comisión.

Mi e-mail es:

miguel_marino©arnet.com.ar

Pastor Marino Miguel Muñoz